中國文化二千四品

中国文化二十四品

饶宗颐 叶嘉莹 顾问
陈洪 徐兴无 主编

書同文字

汉字与中国文化

黄德宽 著

江苏人民出版社

图书在版编目（ＣＩＰ）数据

书同文字 ：汉字与中国文化 / 黄德宽著. --
南京 ：江苏人民出版社，2017.1
（中国文化二十四品）
ISBN 978-7-214-17530-4

Ⅰ．①书… Ⅱ．①黄… Ⅲ．①汉字－研究 Ⅳ.
①H12

中国版本图书馆CIP数据核字(2016)第057802号

书　　　　名	书同文字——汉字与中国文化	
著　　　者	黄德宽	
责 任 编 辑	王翔宇	
责 任 校 对	鲁从阳	
装 帧 设 计	刘莘莘　张大鲁	
出 版 发 行	凤凰出版传媒股份有限公司	
	江苏人民出版社	
出版社地址	南京市湖南路1号A楼,邮编:210009	
出版社网址	http://www.jspph.com	
经　　　销	凤凰出版传媒股份有限公司	
照　　　排	南京凯建图文制作有限公司	
印　　　刷	江苏凤凰新华印务有限公司	
开　　　本	652毫米×960毫米　1/16	
印　　　张	12.75　　插页3	
字　　　数	143千字	
版　　　次	2017年1月第1版　2017年3月第2次印刷	
标 准 书 号	ISBN 978-7-214-17530-4	
定　　　价	30.00元	

（江苏人民出版社图书凡印装错误可向承印厂调换）

编委会名单

总　序

陈　洪　徐兴无

　　我们生活在文化之中，"文化"两个字是挂在嘴边上的词语，可是真要让我们说清楚文化是什么，可能就会含糊其词、吞吞吐吐了。这不怪我们，据说学术界也有 160 多种关于文化的定义。定义多，不意味着人们的思想混乱，而是文化的内涵太丰富，一言难尽。1871 年，英国文化人类学家爱德华·泰勒的《原始文化》中给出了一个定义："文化，或文明，就其广泛的民族学意义上来说，是包含全部的知识、信仰、艺术、道德、法律、风俗，以及作为社会成员的人所掌握和接受的任何其他的才能和习惯的复合体。"[①]其实，所谓"文化"，是相对于所谓"自然"而言的，在中国古代的观念里，自然属于"天"，文化属于"人"，只要是人类的活动及其成果，都可以归结为文化。孔子说："饮食男女，人之大欲存焉。"[②]在这种自然欲望的驱动下，人类的活动与创造不外乎两类：生产与生殖；目标只有两个：生存与发展。但是人的生殖与生产不再是自然意义上的物种延续与食物摄取，人类生产出物质财富与精神财富，不再靠天吃饭，人不仅传递、交换基因和大自然赋予的本能，还传承、交流文化知识、智慧、情感与信仰，于是人种的繁殖与延续也成了文化的延续。

　　所以，文化根源于人类的创造能力，文化使人类摆脱了

---

　　①　［英］爱德华·泰勒：《原始文化》，连树声译，谢继胜、尹虎彬、姜德顺校，广西师范大学出版社，2005 年，第 1 页。

　　②　《礼记·礼运》。

自然,创造出一个属于自己的世界,让自己如鱼得水一样地生活于其中,每一个生长在人群中的人都是有文化的人,并且凭借我们的文化与自然界进行交换,利用自然、改变自然。

由于文化存在于永不停息的人类活动之中,所以人类的文化是丰富多彩、不断变化的。不同的文化有不同的方向、不同的特质、不同的形式。因为有这些差异,有的文化衰落了甚至消失了,有的文化自我更新了,人们甚至认为:"文化"这个术语与其说是名词,不如说是动词。① 本世纪初联合国发布的《世界文化报告》中说,随着全球化的进程和信息技术的革命,"文化再也不是以前人们所认为的是个静止不变的、封闭的、固定的集装箱。文化实际上变成了通过媒体和国际因特网在全球进行交流的跨越分界的创造。我们现在必须把文化看作一个过程,而不是一个已经完成的产品"②。

知道文化是什么之后,还要了解一下文化观,也就是人们对文化的认识与态度。文化观首先要回答下面的问题:我们的文化是从哪里来的? 不同的民族、宗教、文化共同体中的人们的看法异彩纷呈,但自古以来,人类有一个共同的信仰,那就是:文化不是我们这些平凡的人创造的。

有的认为是神赐予的,比如古希腊神话中,神的后裔普罗米修斯不仅造了人,而且教会人类认识天文地理、制造舟车、掌握文字,还给人类盗来了文明的火种。代表希伯来文化的《旧约》中,上帝用了一个星期创造世界,在第六天按照自己的样子创造了人类,并教会人们获得食物的方法,赋予人类管理世界的文化使命。

---

① 参见[荷兰]C. A. 冯·皮尔森:《文化战略》,刘利圭等译,中国社会科学出版社,1992年,第2页。

② 联合国教科文组织编:《世界文化报告——文化的多样性、冲突与多元共存》,关世杰等译,北京大学出版社,2002年,第9页。

有的认为是圣人创造的，这方面，中国古代文化堪称代表：火是燧人氏发现的，八卦是伏羲画的，舟车是黄帝造的，文字是仓颉造的……不过圣人创造文化不是凭空想出来的，而是受到天地万物和自我身体的启示，中国古老的《易经》里说古代圣人造物的方法是："仰则观象于天，俯则观法于地，观鸟兽之文与地之宜，近取诸身，远取诸物。"《易经》最早给出了中国的"文化"和"文明"的定义："刚柔交错，天文也。文明以止，人文也。观乎天文，以察时变；观乎人文，以化成天下。"文指文采、纹理，引申为文饰与秩序。因为有刚、柔两种力量的交会作用，宇宙摆脱了混沌无序，于是有了天文。天文焕发出的光明被人类效法取用，于是摆脱了野蛮，有了人文。圣人通过观察天文，预知自然的变化；通过观察人文，教化人类社会。《易经》还告诉我们："一阴一阳之谓道，继之者善也，成之者性也。仁者见之谓之仁，知者见之谓之知。"宇宙自然中存在、运行着"道"，其中包含着阴阳两种动力，它们就像男人和女人生育子女一样不断化生着万事万物，赋予事物种种本性，只有圣人、君子们才能受到"道"的启发，从中见仁见智，这种觉悟和意识相当于我们现代文化学理论中所谓的"文化自觉"。

　　为什么圣人能够这样呢？因为我们这些平凡的百姓不具备"文化自觉"的意识，身在道中却不知道。所以《易经》感慨道："百姓日用而不知，故君子之道鲜矣。"什么是"君子之道鲜"？"鲜"就是少，指的是文化不昌明，因此必须等待圣人来启蒙教化百姓。中国文化中的文化使命是由圣贤来承担的，所以孟子说，上天生育人民，让其中的"先知觉后知""先觉觉后觉"①。

---

　　① 《孟子·万章》。

无论文化是神灵赐予的还是圣人创造的，都是崇高神圣的，因此每个文化共同体的人们都会认同、赞美自己的文化，以自己的文化价值观看待自然、社会和自我，调节个人心灵与环境的关系，养成和谐的行为方式。

　　中国现在正处在一个喜欢谈论文化的时代。平民百姓关注茶文化、酒文化、美食文化、养生文化，说明我们希望为平凡的日常生活寻找一些价值与意义。社会、国家关注政治文化、道德文化、风俗文化、传统文化、文化传承与创新，提倡发扬优秀的传统文化，说明我们希望为国家和民族寻求精神力量与发展方向。神和圣人统治、教化天下的时代已经成为历史，只有我们这些平凡的百姓都有了"文化自觉"，认识到我们每个人都是文化的继承者和创造者，整个社会和国家才能拥有"文化自信"。

　　不过，我们越是在摆脱"百姓日用而不知"的"文化蒙昧"时代，就越是要反思我们的"文化自觉"，因为"文化自觉"是很难达到的境界。喜欢谈论文化，懂点文化，或者有了"文化意识"就能有"文化自觉"吗？答案是否定的。比如我们常常表现出"文化自大"或者"文化自卑"两种文化意识，为什么会这样呢？因为我们不可能生活在单一不变的文化之中，从古到今，中国文化不断地与其他文化邂逅、对话、冲突、融合；我们生活在其中的中国文化不仅不再是古代的文化，而且不停地在变革着。此时我们或者会受到自身文化的局限，或者会受到其他文化的左右，产生错误的文化意识。子在川上曰："逝者如斯夫。"流水如此，文化也如此。对于中国文化的主流和脉络，我们不仅要有"春江水暖鸭先知"一般的亲切体会和细微察觉，还要像孔子那样站在岸上观察，用人类历史长河的时间坐标和全球多元文化的空间坐标定位中国文化，才能获得超越的眼光和客观真实的知识，增强与其他文化交

流、借鉴、融合的能力,增强变革、创新自己的文化的能力,这也叫做"文化自主"的能力。中国当代社会人类学家费孝通先生说:

> "文化自觉"是当今时代的要求,它指的是生活在一定文化中的人对其文化有自知之明,并对其发展历程和未来有充分的认识。也许可以说,文化自觉就是在全球范围内提倡"和而不同"的文化观的一种具体体现。希望中国文化在对全球化潮流的回应中能够继往开来,大有作为。①

因为要具备"文化自觉"的意识、树立"文化自信"的心态、增强"文化自主"的能力,所以,我们这些平凡的百姓需要不断地了解自己的文化,进而了解他人的文化。

中国文化是我们自己的文化,它博大精深,但也不是不得其门而入。为此,我们这些学人们集合到一起,共同编写了这套有关中国文化的通识丛书,向读者介绍中国文化的发展历程、特征、物质成就、制度文明和精神文明等主要知识,在介绍的同时,帮助读者选读一些有关中国文化的经典资料。在这里我们特别感谢饶宗颐和叶嘉莹两位大师前辈的指导与支持,他们还担任了本丛书的顾问。

中国文化崇尚"天人合一",中国人写书也有"究天人之际,通古今之变"的理想,甚至将书中的内容按照宇宙的秩序罗列,比如中国古代的《周礼》设计国家制度,按照时空秩序分为"天地春夏秋冬"六大官僚系统;吕不韦编写《吕氏春

---

① 费孝通:《经济全球化和中国"三级两跳"中的文化思考》,《光明日报》2000年11月7日。

秋》,按照一年十二月为序,编为《十二纪》;唐代司空图写作
《诗品》品评中国的诗歌风格,又称《二十四诗品》,因为一年
有二十四个节气。我们这套丛书,虽不能穷尽中国文化的内
容,但希望能体现中国文化的趣味,于是借用了"二十四品"
的雅号,奉献一组中国文化的小品,相信读者一定能够以小
知大,由浅入深,如古人所说:"尝一脔肉,而知一镬之味,一
鼎之调。"

2015 年 7 月

目　录

导言:文字·汉字·文字学

在人类文明发展史上,约公元前 4000 年,西亚两河流域苏美尔(Sumer)人创造了楔形文字;稍晚于苏美尔文字,北非尼罗河流域的古埃及人也创造了自己的文字——圣书字(hieroglyphics)。这两种文字使用了约 3000 年,在公元初期都先后消亡了。它们成为历史的遗物,沉埋了 1500 多年,直到 19 世纪才被考古学家们重新发现。经过多年的努力,古语文学家已经能够破译解读这些古老的文字。通过苏美尔文字和古埃及圣书字的破解,再现了曾经灿烂辉煌的两个失落已久的古代伟大文明。

汉字是黄河流域的中华民族先民们的伟大创造,与苏美尔文字、古埃及圣书字相比,原始汉字出现的时代可能相距也不会太远,大约在公元前 21 世纪,汉字大概就已经发展到成熟阶段了。世界上公认的自源的古典文字只有汉字持续沿用至今,几千年来汉字记载和传承着博大精深的中华文化,是当今世界上唯一的具有鲜活生命力的古典文字体系。作为古典文字的唯一标本,汉字是中华民族为人类文明创造的伟大文化遗产,无论对继承、发扬和传播中华文化,还是对认知和探索世界文明与语言文字发展的一般规律,汉字的价值都是无与伦比的。

经历了漫长的历史发展和变革,汉字体系呈现出各种纷纭复杂的现象,积淀了极其丰富的文化内涵,对这些现象和内涵的研究形成了一门学问——文字学。由于汉字体系本身的复杂性和文字学的深奥性,使得一般读者对文字学往往望而生畏,尽管人们天天使用着汉字,发自内心地热爱汉字,但是绝大多数人对汉字的构造、发展规律和特点还知之不多,简明扼要而又科学严谨地介绍汉字文化知识的读物也还比较缺乏。为此,我们为读者撰写了这本小书。

文字的一般性质

　　研究人类文明发展史的学者一致认为,文字是人类创造的文明成果,一个民族是否进入到文明阶段,文字的出现是一个很重要的衡量标志。世界上不同国家使用的文字,有的是自己独立创造发明的,这就是自源文字;也有的是借用其他民族文字再创造的,或直接借用其他民族文字的,这就是借源文字。为什么文字的出现是文明的标志之一? 为什么文字可以借用? 要回答这些问题,就涉及到对文字一般性质的认识。关于文字的性质,不同时代的语言学家多有论说,按照一般的观点,大体包含以下几个要点:

一、文字是人类创造的一种记录语言的符号系统

　　文字的发明主要是为了帮助人类记忆,文字充当记录语

言的符号。亚里斯多德(公元前 384—公元前 322 年)说:"文字是口语的符号。"①文字作为口语的符号,就是将言语过程中瞬间消失的声音,用文字符号记载下来,使得言语的内容通过文字符号的记载得以"传于异时,流于异地",突破语言传播的时空局限性。这是西方最早将文字表述为语言的符号的见解,这个观点揭示了文字的一般性质,成为语言学界公认的至理名言。

到 20 世纪现代语言学兴起后,对文字的性质有了更深入系统的论述,影响比较大的就是索绪尔(1857—1913 年)。索绪尔说:"语言和文字是两种不同的符号系统,后者唯一的存在的理由是在于表现前者。"②索绪尔对语言文字关系论述的要点是:(1) 语言、文字是两种符号系统;(2) 文字作为符号系统存在的价值(功用)是为表现语言这个符号系统的,对语言而言文字符号系统是第二性的;(3) 根据文字表现语言方式的不同,可以分成"表意"和"表音"两个体系,前者以一个文字符号从外在的角度与词发生联系进而表达概念,后者是对声音"连续""模写"来记录词的。索绪尔关于语言文字符号的学说影响深远,他也是现代符号学的奠基人。索绪尔明确了文字的符号性质,而且是语言符号的符号,属于第二性的符号。③

当代学者按照文字是"元符号"的理论,还这样进一步解释文字与语言的关系④:

---

① [古希腊]亚里斯多德(前 384—前 322):《解释篇》,苗力田主编:《亚里斯多德全集》第 1 卷,中国人民大学出版社,1990 年,第 49 页。

② [瑞士]索绪尔:《普通语言学教程》,高名凯译,商务印书馆,1980 年,第 47 页。该书法文初版于 1916 年。

③ 参阅《普通语言学教程·绪论》第六章。

④ 以下参阅[英]Roy Harris:《符号学视野的文字研究》,刘晓宁译,《广义文字研究》,齐鲁书社,2009 年,第 21—34 页。

（1）语言的产生是人类社会形成的开始,文字的产生是人类文明时代的开始,"语言符号"优先于"文字符号"。

（2）语言是靠声音表达的,声音因发音器官的制约,只能按一维的时间顺序来表达（是线性结构）,转瞬即逝;文字是为了解决语言的这种局限性,将语音表达的思想、概念和情感,用视觉的符号凝固下来("其构造使用了几何形态的二维或三维的物体形状"),以"多维"的形态表达一维的线性语言。

（3）书写符号系统与语言系统没有必然的、先天的联系;除自源文字体系外,大多数文字体系是"借源"的,如印欧语系的希腊字母拼音文字,东亚地区日、韩使用的汉字。这是由于符号的约定性,使得一种文字符号成为用来表现并非与其起源相关联的语言系统具备可能。这是文字符号作为第二层级符号的典型表现。

二、文字作为信息传递的媒介,具有社会约定性

作为信息传递媒介的任何文字符号系统,都是一定社会成员共同约定的产物,具有社会性特点。具体来说:

从符号创制的动力来看,文字符号主要是为了解决信息传递的问题。东汉许慎就已认识到:"盖文字者,经艺之本,王政之始,前人所以垂后,后人所以识古,故曰本立而道生,知天下之至啧而不可乱也。"①要突破信息传递的时空局限,传于异时,流于异地,社会成员的共同约定是文字符号被认可和接受理解的前提,在此基础上才能实现文字符号传递信息的功能。

从人类符号习得来看,一般情况下在语言习得之后才是

---

① 见《说文解字·序》。

文字的习得。语言习得是人类成长过程中作为一个社会人的能力形成的过程,是本能的学习过程;文字习得则是在语言习得基础上接受专门教育和训练的结果。人们就是在语言文字习得过程中,逐步接受一个民族的社会习惯、传统和规范,成为这个社会中的一员。习得文字的过程就是皈依这个符号系统,进而自觉融入这个社会文化体系的过程。通过这样的过程,文字符号的社会性特征也不断地被强化。

从文字的传播看,社会约定性保证了文字符号效能的实现。任何一种文字符号,社会约定性都是这种文字符号使用者必须共同遵循的准则。在传播过程中,使用者若不能遵守其约定性,违背或不完全掌握这种符号的构成和运用规则,也就无法运用这种符号,这种文字的功能也就无法实现。

三、文字既有民族性,也有超民族的特点

文字的民族性,指某种文字是某个特定民族创制的,成为这个民族的独特标志。虽然语言一般是民族的标志之一,但是文字则不完全是,某个民族也可以借用其他民族创制的文字记录自身的语言。这样,同一种文字就可能成为记录不同语言的符号,体现了文字的超民族性一面。这样的实例是较多的,比如:印欧文字体系,即印度字母系统,是古代印度、中亚、南亚数十种后裔文字的总称,如现行的印地文、孟加拉文、僧伽罗文、缅甸文、老挝文、泰文、柬埔寨文等都属这一系。原始印度文字是在古代西亚阿拉米文字基础上形成的。① "约公元前 6 世纪,阿拉米语取代了当地流行已久的巴

---

① 又译作阿拉马,参看周有光《世界文字发展史》第 276 页。阿拉米人(Arameans),一译"阿美亚人"。阿拉米语在公元前 700 年—公元 700 年为西亚通语,其字母以腓尼基字母为基础。腓尼基字母以楔形文字字母加以改造而来;后来成为希腊字母的前身。

比伦方言和亚述方言,成了西亚一带共同语①,后来又被强大的波斯帝国用为官方语言②,记录这种语言的文字也随着波斯帝国的声威远传至中亚和南亚的广大地区。"古印度人接受了阿拉米文字,创造发展出原始印度文(因输入时间、途径不同,产生了很多变体)。③

文字的传播历史表明,因为一个民族的强大,往往通过文化传播、经济影响,其使用的文字也可能影响到与其关系密切的相关国家。汉字传播到朝鲜、日本和越南,分别成为朝鲜语、日语和越南语的书写符号也可以证明这一点。汉字传入朝鲜约在公元2—3世纪(汉末、三国时期),朝鲜公元7世纪(新罗时代)开始使用汉字书写系统,一种是完全借用汉字作为音符,书写朝鲜语,记录的多是民歌民谣;另一种是为了适应朝鲜语这种粘着语特点,有的汉字采用的是读音(虚词),有的采用的是字义(实词),混合调和出一种书写体系——"吏读"(Ido)或"吏文"(Imun),这是借用汉字而形成的一种极其复杂的书写系统,一直使用到19世纪末。15世纪时,世宗李裪下令为朝鲜语创造了一种新的文字书写系统——谚文(Hangul),1446年诏颁《训民正音》于天下,以解决"吏读"书写系统使用的不便。此后谚文在民间使用,到19世纪汉字谚文混合体成为朝鲜语的正式文字书写系统。1948年北朝鲜废除汉字,改为全部使用谚文字母的文字。日

---

① 幼发拉底河(Euphrates)和底格里斯河(Tigris)流域的南部称为巴比伦尼亚地区(babylonia),北部称为亚述地区(Assyria)。南部之南这一部分称为苏美尔,公元前4000年,苏美尔人在两河流域创造了丁头字,即楔形文字。巴比伦是古两河流域的最大城市,始建于公元前3000年,公元前2000年—公元前1000年中期,为西亚商业中心,公元2世纪沦为废墟。

② 波斯帝国,西亚古国。公元前550年建立,公元前330年为马其顿亚历山大所灭。其使用的楔形文字,受两河流域文化影响。

③ 参看聂鸿音:《中国文字概略》,语文出版社,1998年,第136页。

本约在公元 3—4 世纪（晋朝）采用汉字作为自己的书写符号，称为汉文（Kanbum）。奈良时代（710—794 年）逐步形成片假名（Katakana），平安时代（794—1192）又发展出平假名（Hiragana），此后经过对假名的统一和改进等标准化工作，形成了汉字与假名混合的日语书写系统。越南长期接受中国政治和文化影响，官方使用的是汉语文言文，1174 年文言文被确定为越南的书面语，汉字自然就是通行的官方书写系统。14 世纪，越南开始以汉字为基础创制记录自己语言的书写系统——喃字（Chu nom）。到 18 世纪喃字书写的越南语成为官方语言，喃字也取代了汉字书写系统。1885 年法国殖民者在越南南方开始推行拉丁化拼音文字，随后传播到全国，喃字遂被封存。1945 年越南独立后宣布拉丁化拼音文字作为法定文字（国语字），并废除了汉字。[①]

汉字对朝鲜、日本和越南的影响，表现出古代中国在经济、军事、文化方面的优势，使用汉字在这些国家曾作为一种具有地位、身份和修养的象征。借用汉字作为书写符号系统，在这些国家也曾引起过关于民族尊严的争论，不过汉字书写系统的影响并没有因此而丧失。这是文字超越民族性的典型例证。

四、文字的出现是文明形成的标志，文字更是文明传承的载体

文字是一种文化发展到文明阶段的产物。无论哪种文明，在其形成和发展过程中，"文字"的出现都是标志性的事件。美国刘易斯·亨利·摩尔根《古代社会》一书，将人类社

---

① 本节关于朝鲜、日本和越南文字的介绍，参阅［英］弗罗利安·库尔马斯（Florian Coulmas）《东亚书面语言的功能和定位》，黄静译，《广义文字学》，第 381—411 页；周有光：《世界文字发展史》，上海教育出版社，2003 年，第 131—139 页。

会(人类文化)发展分为"蒙昧社会"(低—中—高)、"野蛮社会"(低—中—高)和"文明社会"三个阶段。他研究的结论是："文明社会"，"这一阶段始于标音字母的使用和文献记载的出现。文明社会分为古代文明社会和近代文明社会。刻在石头上的象形文字可以视为与标音字母相等的标准。"①在"重点复述"中，他又强调"文明社会——始于标音字母的发明和文字的使用，直至今天"②。在摩尔根的研究中，文字的发明和使用是作为人类进入文明社会的唯一标准。《古代社会》1877年问世，曾得到马克思、恩格斯的高度重视。马克思《摩尔根〈古代社会〉一书摘要》一文，对该书有详细摘录和批语。恩格斯《家庭、私有制和国家的起源》就是根据《摘要》的思想写作的。恩格斯认为："在论述社会的原始状况方面，现在有一本书像达尔文学说对于生物学那样具有决定意义。"③

文字记载和传递文明的成果。在人类文明进程中，文字出现之前，人类思维的成果、发现发明和历史经验都以语言的形态保存下来；文字出现之后，通过文字记录和传播语言，同时也将人类智慧的成果传承和延续下来。文字成为传承人类文明最基础、最重要的载体，文字的发明促进人类文明不断取得进步。李学勤指出："文字是人类在历史上最重要的发明之一。有了文字，人们的信息才能够远传，人们的思想才得以积累。因此，文字的出现被公认为是社会进入文明的基本的、必要的标志。"④

---

① ［美］摩尔根：《古代社会》，商务印书馆，1983年，第11页。
② ［美］摩尔根：《古代社会》，第12页。
③ 《马克思恩格斯全集》第36卷，人民出版社，1974年，第112页。
④ 李学勤：《中国古代文明十讲》，复旦大学出版社，2003年，第94页。

汉字的主要特点和性质

汉字在我国先秦时代称作"文""名""书"或者"书契"。《左传·宣公十二年》：楚庄王说，"夫文，止戈为武"。西晋杜预注："文，字。"《仪礼·聘礼》："百名以上书于策，不及百名书于方。"东汉郑玄注："名，书文也，今谓之字。"《韩非子·五蠹》："古者仓颉之作书也。自环谓之私，背私谓之公。"《易·系辞下》："上古结绳而治，后世圣人易之以书契。""书""书契"也都指的是汉字。到了秦代，"文字"才开始连用，如秦始皇二十八年（公元前 219 年）琅邪台石刻就有"同书文字"之语。秦代以后，"文、名、书、书契"等名称的使用逐渐减少，"文字"一词通行并沿用到现在。近代以来，学者认为汉语的书写系统称作"汉字"更加准确科学，"汉字"这个名词也就逐步流行了。

汉字作为汉民族语言的书写符号系统，具有文字的一般属性，即汉字是记录汉语的书写符号系统、具有社会约定性和鲜明的民族特色，是中华文明形成的基本标志和重要的传播载体。同时，汉字也被借用为其他语言的书写符号，具有文字超民族性的一般特点。

与其他文字体系相比，汉字还具有以下几个特点：

一、汉字是世界上独一无二的、持续稳定发展且历久弥新的自源文字符号系统

"自源"文字，指人类文明发展进程中在地理和历史上没有互相联系的地区各自独立发明的记录自身语言的较为成

熟的文字系统，并且这个系统在一定区域内得到较长时间的应用。从世界文字发展史来看，世界上曾出现的"自源"文字体系，时代较早的有两河流域的楔形文字、古埃及圣书字和汉字；较晚的有中美洲文化圈的文字系统，也就是约公元 800 年，从奥尔梅克文化中发展出的早期萨婆特克和爱比（后）奥尔梅克文字。[①] 这些自源文字体系，只有汉字从产生一直延续至今，没有发生历史的中断和根本的改变，其他文字体系都早已退出历史舞台，因此，悠久性、持续性和稳定性是汉字体系的重要特点。汉字系统中出现的许多现象以及汉字研究面临的许多问题，都是由这一特点所决定的。

二、汉字是一种"表词"的文字符号系统

汉字的这个特点涉及到对汉字性质问题的讨论，需要略作详细的介绍。根据文字与语言的关联关系，文字并不是一开始就能准确记录语言的，大体经历了三个阶段：（1）原始符号帮助记忆——启发联想阶段，这种符号包括图画记事，有时还有借用实物作为记事符号，如结绳、刻木、陶筹等；（2）符号记录关键事物和主要概念的阶段，这种符号大体可以表示句意，如早期图画文字；（3）符号与语言词语建立对应关系阶段，即文字记录语言的阶段。文字与语言逐步建立联系的过程，也就是原始文字向成熟文字体系发展的历史进程。这种观点，就现在所能掌握的原始文字资料看是可以得到证实的，如古埃及象形文字、纳西东巴经文和其他原始文字材料。就成熟的文字体系看，文字记录语言大体有三种方式：

一是从音位（音素）层面，一个符号记录一个音位（音

---

① ［德］白瑞斯（Berthold Riese）:《当代西方文字学研究》，王霄冰译，《广义文字研究》，齐鲁书社，2009 年，第 9 页。

素),按照词的发音顺序用字母逐一记录每个音位,这就是所谓的拼音文字体系。字母的组合是按照词的发音先后以一维方式展开的,所以拼音文字呈现出"线性结构"的特点,被称为线性文字。

二是从音节层面,一个符号记录一个音节,不管这些音节与词素是否一致(如多音节词素成分),这就是音节文字体系。音节文字表示音节,根据符号的意义还可以分为符号表示任何一个语音结构(如述亚-巴比伦文字)、只表示开音节(如克里特-迈锡尼文字、日文假名)和只表示孤立的元音或辅音加元音 ǎ 的音组(如印度的婆罗迷字母、佉卢字母、天成体梵文字母)等三类。①

三是从词的层面,一个符号记录一个单个的词。这类表词文字符号,一类可以与词的意义相关联,如埃及圣书字的"走"和汉字的"马",字形和词义的联系非常直观;一类只与词的语音相联系,如汉字的假借和埃及圣书字中的借音符。伊斯特林主张,前一类符号可称为"意词字",后一类符号可称为"音词字"。② 古代汉字是表词文字的代表,随着汉语的发展变化,现代汉语词语的双音节乃至多音节化,一个汉字符号很多情况下记录的只是汉语的词素,因此,在某种意义上,也可以说现代汉字是一种"词素文字"。不过"在文字史上几乎见不到一种发达的、彻底的词素文字","词素字一般是由于表词文字发展的结果而产生的"③。"汉语的语素和汉字,多数是一对一的关系,但是也有别种情况。语音、语义、

---

① 参阅[苏]B.A.伊斯特林:《文字的产生和发展》,左少兴译,北京大学出版社,1987年,第40页。该书俄文初版于1960年。
② [苏]B.A.伊斯特林:《文字的产生和发展》,第37页。
③ [苏]B.A.伊斯特林:《文字的产生和发展》,第39页。

字形这三样的异同互相搭配，共有八种可能。"①从汉字的历史来源和实际发展看，我们认为将汉字作为"表词文字"还是比较合适的。

成熟文字记录语言的三种方式，所不同的就是记录语言的单位大小不同而已。赵元任曾说："一字一言（'言'即词素，引者按）的中文跟一字一音（'音'即音位，引者按）的西文都是写语言，都是辨音义，不同的就是单位的尺寸不同就是了。"②

这里涉及到关于汉字性质问题的讨论，将汉字作为"表词文字"体系，是从文字的功能来看汉字的性质。中国学者对汉字性质的讨论主要是接受西方学术影响以后发生的事。关于汉字的性质，在中国文字学界影响最广泛的就是汉字是"表意文字"的观点。索绪尔将文字分为"表意文字"和"表音文字"两个体系，并认为汉字是表意文字的"古典例子"。③这个观点因为索绪尔语言学思想在中国的传播而影响较大。但是，美国语言学家布龙菲尔德早就指出："所谓表意文字（ideographic writing），这是一个很容易引起误会的名称。文字的重要特点恰恰就是，字并不是代表实际世界的特征（'观念'），而是代表写字人的语言特征；所以不如叫作表词文字或言词文字（word-writing 或 logographic writing）。"④伊斯特林也认为"表意文字"是一个不确切的术语，主张用"表词文

---

① 吕叔湘：《汉语语法分析问题》，商务印书馆，1979 年，第 16 页。本节引文中的"词素""语素"虽然字面有别，实际所指并无差异。

② 参阅赵元任：《语言问题》，第十讲"语言跟文字"，商务印书馆，1980 年，1999 年第三次印刷，第 147 页。

③ ［瑞士］索绪尔：《普通语言学教程》，商务印书馆，1980 年，第 50—51 页。该书法文初版于 1916 年。

④ ［美］布龙菲尔德：《语言论》，袁家骅等译，商务印书馆，2004 年，第 360 页。该书英文初版于 1914 年。

字"这个术语来代替它。① 法国语言学家穆南（G. Mounin）也持相同的观点，认为汉字记写由特定的语音组合体所表达的概念，即记写义与音的组合体，也就是词。因此确切地说，汉字应定义为"表词文字"。② 可是，中国学者对西方这些观点的改变似乎不太注意，"表意文字"的概念依然被广泛使用。伍铁平在《普通语言学概要》第二版后记中，明确指出"表意文字"很可能是英语词组 ideographic writing 的误译，并指出高名凯译索绪尔《普通语言学教程》涉及"表意文字"的有两个"重大错误"，从而导致一些误解，这两个错误：一是将"这个符号（指汉字——伍注）对于词赖以构成的声音而言是外在的"误译作"这个符号与词赖以构成的声音无关"；二是将法文 idée（概念）误译作"观念"，因此，索绪尔原著中谈到的两种文字系统不应译为"表意系统"，而应译为"记写概念的系统"，即"表词的系统"。③ 也有不少中国学者意识到，将汉字作为"表意文字"并不是很确切，尽管他们对"表意文字"的理解相当程度上是对西方学说的误解，但是从汉字实际出发，他们还是提出不少新的观点，如"表形文字"说、"表音文字"说、"意音文字"说等，这些说法有的着眼于汉字符号的构成，有的着眼于汉字符号与字义的联系，有的着眼于汉字符号与语言的联系，而不是从人类文字发展的总体来看汉字，难以形成大家公认的结论。建立在汉字使用符号性质分析的基础上，裘锡圭认为汉字早期阶段基本使用意符和音符，后来发展为使用意符、音符和记号，前者可称为意符音符文字，后

---

① ［苏］B.A.伊斯特林：《文字的产生和发展》，第 35 页。
② 见［法］穆南：《语言学史——从起源到 20 世纪》，法国大学出版社，1970 年。转引自姚小平：《西方人眼中的中国语言学史》，《外国语言学》1996 年第 3 期。
③ 伍铁平：《普通语言学概要》，高等教育出版社，2006 年，第 283—287 页。

者可称为意符音符记号文字,也可简称为"意音文字"。^① 目前,"意音文字"说的影响越来越大。

三、汉字是特色独具的文化符号系统

虽然与所有成熟文字一样,汉字的功能是记录汉语,但是,这并不排斥汉字独具特色的另一种功能,即作为文化符号系统的功能。与表音文字符号相比,这一点充分体现出汉字的人文性特点。所谓"人文性",指的是汉字符号以形体结构记录和表现汉民族丰富的历史文化信息的特性,这主要表现在以下几个方面:

汉字的产生和发展与一定的历史文化背景密切相关,其构成方式和符号系统本身携带着不同历史时期大量的文化信息,中华民族不同时期的历史文化要素也通过汉字形体得以保存。因此,可以超越汉字作为记录汉语符号的层面,将汉字形体结构本身作为一个独特的文化符号系统来分析研究,从而揭示汉字与历史文化的深层联系。

在民族众多、疆域广袤的国度,汉字在传播统一的思想文化观念,维系中华民族的特性,传承和发扬中华民族悠久的历史文化传统等方面,发挥着不可替代的重要作用。不仅如此,汉字强大的文化功能,也使之具有强大的包容性和融合异族文化的能力,在维护多民族国家的团结和统一方面,其作用更是不可低估。因此,汉字成为中华民族的文化象征。

在实际应用中,汉字充分发挥视觉符号系统的特点,适应汉语多方言区交际的需要,形成了通行于不同方言区的汉

---

① 裘锡圭:《汉字的性质》,《中国语文》1985 年第 1 期。

语书面语系统——"雅言"。① 记录"雅言"的汉字因此也具有超方言性,并且超越一般文字的功能,承载着重要的"社会——历史"文化功能。汉字记载的典籍传播主流文化,书面语具有超方言的功能,形成了中华各民族的巨大向心力。与此同时,汉字的这种特点又反过来对汉字的发展形成制约,使汉字系统长期保持着稳定性。

---

① 《荀子·荣辱篇》:"越人安越,楚人安楚,君子安雅。"《儒效篇》:"居楚安楚,居越安越,居夏安夏。"雅即雅言、夏言。《论语·述而》:"子所雅言,诗、书、执礼,皆雅言也。"郑玄:"读先王典法,必正其音,然后义全。"黄侃以为《尔雅》即为"近夏"之义。新出《上海博物馆藏战国楚竹书(二)·孔子诗论》风雅颂之"雅",作"夏"字。雅言,就是夏言,以夏言为正,即当时的"官话""通语"。其后进一步文言分离,形成超越口语的文言文书面语系统,这是汉字对汉语的显著影响。

汉字研究与文字学

　　研究汉字而形成的专门之学，称作"文字学"，或叫"中国文字学""汉字学""汉语文字学"。"文字学"在汉代就已经形成了，当时叫"小学"。"小学"这个词本来指的是古代贵族子弟学习的学宫。《汉书·艺文志》记载："古者八岁入小学，故《周官》保氏掌养国子，教之六书。"在小学学习，文字是必修的课程，所以后来就用"小学"指"文字之学"。汉代目录学著作刘歆的《七略》"六艺略"中就分出了"小学类"。班固作《汉书·艺文志》沿用了《七略》，在"小学"之下，列出了文字学书目"十家四十五篇"。到了唐代，颜师古注《汉书》时说："小学，谓文字之学也。"①不过"文字学"的名称并没有流行开来，"小学"这个名目一直沿用到清代，直到近代著名学者章太炎等人才正式倡导"语言文字之学"这一名称。②

　　尽管"小学"之称始于汉代，"文字学"一名至近代才正式确定，然而汉字研究的源头却可以追溯到先秦。汉字经历了长时期的发生、发展，到西周已经成为相当完善的文字体系。随着文字用途的日渐扩大，使用范围越来越广，为了更好地发挥文字的职能，使用者自发产生了认识它、控制它、调节它的要求。汉字研究的意识正是在这种状况下萌发了，这个时间大致始于西周晚期，这也可以说是文字学的萌芽时期。先

---

　　① 见《汉书·杜邺传》注。颜师古所说的"文字之学"并未通行，宋代"文字之学"与小学"异名同实，包括文字、声韵、训诂三个方面，见晁公武：《郡斋读书志》卷一。

　　② 见章绛（太炎）：《论语言文字之学》，《国粹学报》1906年第五册；浑然：《中国文字学说略》，《教育今语杂识》1910年第1期。

秦时期对汉字起源的猜想、对汉字结构的初步分析、秦代的"书同文字"和字书编纂等,都是早期关于汉字问题的思想成果。汉代小学呈现出全面发展的势头,以东汉许慎《说文解字》的问世为标志,文字学就正式形成了。

经历了漫长的历史发展,文字学逐步形成自身独特的传统,有着极其丰富的内涵,近代以来又成功地实现了现代转型,取得了具有世界影响的许多重要成果和一系列新进展。当前,文字学研究的主要问题有:汉字的形成、构造、形体、运用和规范以及汉字体系的发展等,围绕这些主要问题形成了汉语文字学系统的知识体系。随着现代考古学的发展,从殷商甲骨文、两周青铜器铭文、战国到秦汉文字都有大量发现,这些新发现为汉字研究开辟了广阔的新领域,产生了古文字学及其分支学科,包括:甲骨学、金文研究、战国文字研究、秦系文字研究等;汉晋简牍、敦煌遗书、历代碑刻文字等新资料的发现,促进了近代文字研究的快速发展,简牍学、碑铭学等领域和俗字研究取得了一批新成果。在现代化、信息化和全球化背景下,以现代汉字为研究对象还形成了现代汉字学这一新的文字学分支学科,现代汉字教学、汉字规范和标准研制、汉字信息处理等,与现代教育、语文生活、信息传递和国际交流密切相关,悠久古老的汉字体系既面临着巨大挑战,也迎来"其命维新"的历史机遇。与此同时,利用新材料、新理论、新视角研究以《说文解字》为代表的传统文字学也新著迭出。

这些汉字研究领域的开拓及其取得的成果,既反映了汉字文化积淀的深厚和内涵的丰富,也体现出经过现代转型后的文字学所焕发出的蓬勃生机。这本小书只是从丰富多彩的汉字文化世界中撷英采华,让热爱汉字的读者能由此领略汉字文化的灿烂辉煌和无穷魅力。

初作书契　文明肇启

——汉字的初创和形成

　　汉字最早是在何时何地出现的,又是如何产生的? 这就是人们一直想搞清楚的问题。但是,从先秦至今,这依然还是一个未解之谜。按照文字起源研究的一般认识,任何一种自源的文字体系,总是由个体的原始文字符号不断出现并逐步积累到一定数量、达到一定规模之后才能形成完整的体系,汉字从初创到形成也应该经历这样一个过程。

古代关于汉字起源的猜想

　　汉字的起源问题很早就引起人们的关注,我国古代有不少关于汉字起源的传说和猜想。这些传说总结起来,大体上反映出古代对文字起源过程的初步认识,比如,古代将画卦、结绳、契刻、作图等远古时代的记事方法看作文字起源的一个环节。

一、画卦

　　"画卦"指的是我国古老的"设卦观象",这是一种起源很早的趋吉避凶的占筮方法。《周易·系辞下》有一段很有名的话:"古者包牺氏之王天下也,仰则观象于天,俯则观法于地,观鸟兽之文与地之宜,近取诸身,远取诸物,于是始作八卦,以通神明之德,以类万物之情。"①"八卦"由阳爻(奇)"—"和阴爻(偶)"– –"两种基本符号组成,用来象征各种自然和人事。在"八卦"的基础上组合变化就形成了六十四卦,用来代表天地间各类事物。"八卦"是古人用来判断预测吉凶福祸的一种占筮工具。占筮习俗在古代可能非常流行,殷商、西周金文中保留的一些数字符号,就是这种占筮的纪录。② 八卦本来只是一种占筮用的符号,与文字起源并无直接关系,但从它所具有的象征意义和传递信息的作用而言,早期的卦象筹策也可以说是汉民族一种古老的记事符号和手段,是原始文字发生的远源。

二、结绳

"结绳"是远古时代的一种记事方法。结绳记事在古代确实存在过,《易·系辞下》说:"上古结绳而治,后世圣人易之以书契。"郑康成注:"事大,大结其绳,事小小结其绳。"③《老子》说"小国寡民","使民复结绳而用之"。《庄子·胠箧篇》:"昔者,容成氏、大庭氏、伯皇氏、中央氏、栗陆氏、骊畜氏、轩辕氏、赫胥氏、尊卢氏、祝融氏、伏牺氏、神农氏,当是时也,民结绳而用之。""结绳"作为上古传说时代的记事方法,战国时期的文字记载当留存了一些历史的影子。结绳记事从民族学材料也可以得到验证,如中美洲的印加、琉球群岛、冲绳岛、夏威夷群岛等地的原始部落都曾流行过结绳记事,用结绳可以记录战争、财产、贡赋等,绳结的多少、形态和色

---

① 《易·系辞下》这段话,东汉许慎《说文解字·序》谈文字产生的过程时完全吸收。

② 张政烺:《古代筮法与文王演周易》,《古文字研究》第一辑,中华书局,1979年,第2—3页。

③ 李学勤认为:"《系辞》不晚于战国中期。"见《周易经传溯源》,长春出版社,1992年,第233页。

彩的差异等可以表达不同的含义。我国独龙族远行日记、傈僳族记账、哈尼族土地买卖记录，也都曾使用结绳。[①] 在文字发明之前结绳所具有的记事功能，具有文字发生学的意义。

三、刻契

"契刻"是表示某种约定关系的刻画记号。《释名·释书契》："契，刻也，刻识其数也。"许慎《说文》："契，大约也。从大从㓞。易曰：后代圣人易之以书契。""契"从㓞，"㓞，巧㓞也。从刀，丰声。"㓞所从的"丰"，是在"丨"画上加三刻符，表示制作契符时用刀所刻的记号。《周易·系辞下》："上古结绳而治，后世圣人易之以书契，百官以治，万品以察。""书契"的"契"指的就是"契刻"，这里的"书契"实际上已经相当于文字了，由此可以看出古代对书契产生的背景和功用的认识。

契刻等约定性符号，是文字出现前人类广泛使用的记事方法，历史非常久远，一些旧石器遗址中就出现过。原始社会的契刻，主要包括：(1) 氏族、部落、图腾符号；(2) 所有权记号(标记、戳印)；(3) 工匠制成品标记；(4) 巫术、祭祀符号；(5) 其他约定性符号，如记数、指方向、交通等符号。这些不同类别的契刻符号都具有传达信息和记事的功能。在我国一些少数民族材料中也有许多符号记事的实例，如西盟佤族、独龙族、红河哈尼族的契约木刻和苗族的"刻道"歌辞等。契刻是用来帮助记忆的，虽然不是"文字"，但契刻作为一种约定性符号已有了原始文字的某些功能。

我国古代将"书契"并称，体现了对契刻符号与文字起源关系的初步认识。"书契"的"书"指的是文字，这一点毫无疑义。《说文解字·序》说："著于竹帛谓之书，书者，如也。"文

---

① 参见王元鹿：《比较文字学》，广西教育出版社，2001 年，第 48 页。

字具有契刻同样的信度和更强的功能,而且早期的原始文字也大多刻于竹木陶石之器上。由于"书"既可以契刻在木札上,又可以用来书信符,所以"书契"并称在古代就是很自然的事。《周礼·天官·酒正》:"凡有秩酒者,以书契授之。"疏:"谓酒正授使者酒,书之多少,以为契要而与之。"《司会》:"掌国之官府郊野县都之百物财用,凡在书契版图者之贰。"贰,指副本。"书契版图",指的是文字记录的簿籍和各类图册。《周礼·夏官·大司马》:"群吏撰车徒,读书契,辨号名之用。"从"契"到"书契"是记事方法的进步,刻契太过简约,只有发展到"书"(文字)方可表达更为复杂的内容。

四、作图

"作图"指古代通过创作图画来传情记事。《吕氏春秋·勿躬篇》说"史皇作图"。《世本·作篇》也说"史皇作图,仓颉作书"。"作图"与文字形成的关系最为密切。图画记事起源于原始艺术,是原始艺术的一种发展。原始图画不仅用来认识世界,满足艺术的、宗教的(巫术、祭祀)目的,还用来(虽然是部分的)传达某些信息、实现交际和记事的目的,如内蒙古阴山地区、云南地区的岩画以及我国西南地区佤族"大房子"上的记事壁画、景颇族的"鬼桩"等,就有图画记事性质。当原始艺术中的图画主要用来表达信息而不是为了审美,并且图画符号与语言发生直接或间接的联系时,就产生了具有记事性质的文字画或图画文字。支持上述观点的考古学和民族学材料很多,早期的原始文字,如古埃及圣书字、苏美尔人的铭刻文字(多为图画形式)、北美印第安人的图画文字和我国纳西族的东巴经文,都留下了从图画到文字画到图画文字的发展轨迹。中外这些不同类型的材料,都表明"作图"与原始文字的形成有着密切联系,由图画记事到文字发明似乎是顺理成章的事情。因此,"文字源于图画说"是影响最大的一种文字起源学说,我国宋代郑樵就提出了"书画同出"的观点。

五、仓颉造字

仓颉造字说是关于汉字起源最有影响的传说。仓颉古书又写作"苍颉"。《荀子·解蔽篇》:"好书者众矣,而仓颉独传者,壹也。"《韩非子·五蠹篇》:"古者苍颉之作书也,自环谓之私,背私谓之公。"《淮南子·本经训》说:"昔者苍颉作书,而天雨粟,鬼夜哭。"汉代司马迁、班固等都

仓颉

以为"仓(苍)颉"是黄帝时期的史官。战国时代的记载表明,当时"仓颉作书"的传说具有普遍的认同性。黄帝被奉为中华始祖,反映中华文明形成的许多发明都归于黄帝时代,将文字创造归于黄帝时代,说明文字的出现是中华文明形成的重大事件。

关于汉字起源的各种传说,到东汉时期得到了一定的整合,这在《说文解字·序》中有集中的体现。《说文解字·序》认为,庖牺氏"始作八卦",到神农氏"结绳为治",由于"庶业其繁,饰伪萌生",黄帝的史官仓颉就开始创制书契(文字)。文字出现后,"百工以乂(治),万品以察","宣教明化",社会进入到文明的状态。许慎试图对汉字起源不尽一致的传说作出合理的解释,努力寻找不同传说的内在联系,进而揭示

汉字起源的真相。后来许多学者讨论汉字的起源都只是在许慎总结的基础上有所发挥。今天看来,许慎关于汉字起源传说的整合,包含了若干正确的思想,如:(1) 各种记事方法的出现是文字产生的前奏;(2) 文字的发生是一个渐进的过程;(3) 文字(书契)是适应社会需要而产生的,其功能是"宣教明化",是"治百工,察万品"的重要工具。

新石器时代考古发现的文字起源线索

英国塞顿·劳埃德(Seton Lloyd)曾指出:"我们对原始文字阶段的了解都是来自考古发掘的结果。"[1]汉字起源的探索同样有赖于考古材料的新发现。随着现代考古学引进中国,文字学家们一直期待着考古发现能帮助解开汉字起源之谜。早在 20 世纪 30 代就有学者利用考古材料探讨过这个课题。[2] 20世纪以来,我国考古工作者陆续新发现了多批新石器时代原始刻划符号,使汉字起源问题的探讨显露出一线曙光。下面我们简略介绍一些重要的考古发现的新石器时代刻划符号。

一、贾湖遗址甲骨刻符

河南舞阳贾湖遗址属于新石器时代中期文化遗址,年代距今约 7500 年。贾湖遗址文化遗存十分丰富,在贾湖遗址发现的龟甲、骨器、石器、陶器上有刻划符号 16 例。这些符号是我国文字起源研究的重要资料,引起了学者的极大关注。该遗址发现的龟甲上有 9 个符号。其中 3 个符号,饶宗颐认为它们分别是"目""日"二字和一个"有点像举手人形",并说"这三个字,都与殷代甲骨文形构非常接近。虽然从裴里岗文化至武丁中间相隔两千年,但因占卜而锲刻于龟甲与兽骨上的习惯,萌芽已久,这种锲刻示意的办法,说明其渊源甚早"[3]。

---

① 　[英]塞顿·劳埃德:《美索不达米亚考古》,文物出版社,1990 年,第 76 页。
② 　唐兰:《商承祚〈殷契佚存·唐序〉》,金陵大学中国文化研究所,1933 年;《古文字学导论》,齐鲁书社,1981 年。
③ 　饶宗颐:《符号、初文与字母》,香港商务印书馆,1998 年,第 24—25 页。

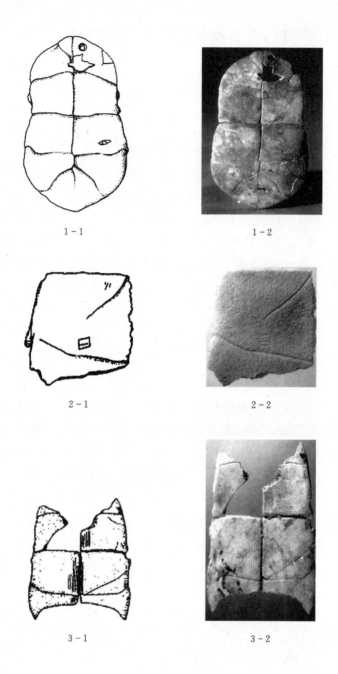

1 - 1

1 - 2

2 - 1

2 - 2

3 - 1

3 - 2

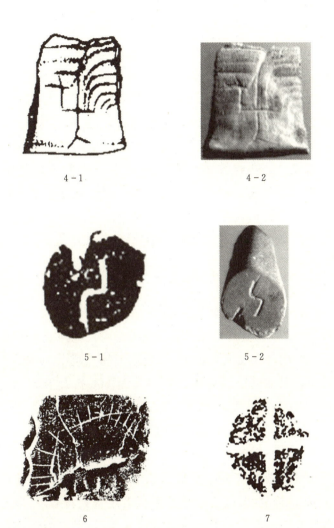

1.龟腹甲刻符(M344:18)　2.龟腹甲刻符(M355:15)　3.龟腹甲刻符(M387:4)
4.龟背甲刻符(M387:4)　5.石颜料块刻符(H141:1)　6.陶卷沿罐刻符(H190:2)
7.陶缀刻符(T108③B:2)
(以上图片见《舞阳贾湖》图一七〇、三一七,彩版二二、四七、四八)

　　此外,贾湖遗址还发现了"一"(刻于 M233:11 腹甲上)、
"二"(刻于 M233:15 腹甲上)、"丨丨"(刻于 M344:28 腹甲上)、
"𦥑"(刻于 M344:3 叉形骨器上)、"𠃊"(刻于 H123:5 牛肋骨

上)等刻划符号,考古报告仅公布了摹本。贾湖遗址刻划符号的发现对汉字起源的研究具有重要的意义,一是这些符号形式上与殷商文字非常接近,某些符号甚至可以与甲骨文对应;二是刻划的材料也是甲骨,这是考古发现的最早在甲骨上锲刻的符号;三是这个遗址规模较大,遗存十分丰富,发现了稻作农业、酿酒和乐器等重要遗迹遗物,这为研究刻划符号形成的社会背景提供了可能;四是这些符号时代久远,是在新石器中期文化遗址中发现的,而贾湖遗址又属于分布于黄河中游地区的裴李岗文化类型,这对汉字起源和中华文明的形成研究意义非同一般。

二、蚌埠双墩遗址刻划符号

安徽蚌埠双墩遗址是 1985 年文物普查时发现的,1986、1991、1992 年先后进行了三次发掘,是一处淮河流域早中期新石器时代的典型文化遗址,年代范围约在距今 6600—7300 年之间。双墩遗址最重要的发现就是 600 余片有刻划符号的陶片,这是新石器时代同一遗址刻划符号陶片发掘最多的一次。这些符号大都刻划在陶器上,其中绝大多数是刻划或压划在碗的外底部圈足内,刻道多为刻划或压划的阴文,还有一些似用剔刻或模印方法形成的阳文。双墩陶文符号数量较多,结构复杂,既有单个符号也有组合式符号群,既有几何类抽象符号也有象形类符号。这些符号刻写熟练,笔画简捷,构图准确逼真,达到了较高的水准,有些组合符号重复出现,表达的内容较为复杂,而且在邻近地区时代相近的遗址中某些符号也曾被发现。① 综合看来,双墩陶文符号具有明

① 安徽省文物考古研究所、安徽省蚌埠市博物馆:《安徽蚌埠双墩新石器时代遗址发掘》,《考古学报》2007 年第 1 期。

显的记事表意功能,具有原始文字的某些性质,从甲骨文等古文字中甚至可以找到与之相似的构形表意手法。[①] 双墩遗址刻划符号的发现为文字起源的研究提供了新的重要线索。下面所列举的是双墩遗址的部分陶文:

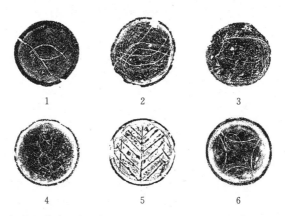

(1-6 分别见《蚌埠双墩》图一一三·1、一一五·5、一二〇·1、一二一·3、一二五·4、一二七·3)

三、半坡仰韶文化刻划符号

仰韶文化 20 世纪 20 年代初发现于渑池仰韶村遗址,是黄河中游黄土高原及其周边地区广泛分布的新石器时代文化遗存,其年代约在公元前 5000 年—公元前 3000 年。仰韶文化刻划符号主要是一些抽象的符号。这类符号发现于西安半坡,临潼姜寨、零口、垣头,长安亚楼,合阳莘野和铜川李家沟等遗址。半坡、姜寨遗址较多,半坡遗址 133 枚陶片上有 27 种符号,姜寨遗址 129 枚陶片上有 38 种符号。仰韶文化遗址中发现的这类符号大约共有 60 种:

---

① 安徽省文物研究所、蚌埠市博物馆:《蚌埠双墩——新石器时代遗址发掘报告》,科学出版社,2008 年。

(1-25,西安半坡,见《西安半坡》第 197 页图一四一。26-48,临潼姜寨,见《考古与文物》1980 年第 3 期第 15 页图三。49-51,宝鸡北首岭,见《考古》1979 年第 2 期图版贰。52,长安五楼。53,合阳莘野。54,铜川李家沟,见《考古与文物》1980 年第 3 期第 15 页图四。55,临潼垣头,见《考古与文物》1982 年第 1 期第 3 页图五。56—59,秦安大地湾仰韶文化层,见《文物》1983 年第 11 期第 25 页图十五、十六)

《西安半坡》考古发掘报告认为,这些符号是表示器物属主的刻划符号;郭沫若认为是"中国原始文字的孑遗"①。于省吾认为是"文字起源阶段产生的简单文字",他还具体考释了以下符号:✕—五、┼—七、┳—示、↑—矛、↓—中、ϝ—阜。②也有学者认为这些符号"不是文字。除了有少量符号(主要是记数符号)为汉字所吸收外,它们跟汉字的形成大概就没有什么直接关系了"③。

四、崧泽文化陶器符号

崧泽文化 20 世纪 60 年代初发现于上海青浦县崧泽村,1960—1961 年试掘,1974—1976 年第二次发掘。崧泽文化的年代约在公元前 4000 年—公元前 3300 年。遗址中发现了 7 种刻画符号:

---

① 郭沫若:《古代文字之辩证的发展》,《考古学报》1972 年第 1 期。
② 于省吾:《关于古文字研究的若干问题》,《文物》1973 年第 2 期。
③ 裘锡圭:《文字学概要》(修订本),商务印书馆,2013 年,第 24 页。

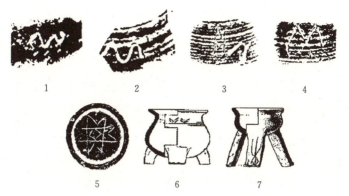

（1－5 见《考古学报》1962 年第 2 期第 7 页图六；6－7 见《考古学报》1980 年第 1 期第 36 页图七）

20 世纪 70 年代后期，江苏澄湖遗址出土了一件黑陶鱼篓形罐，腹部并列 4 个刻划符号，细若毫发。[①] 这 4 个刻划符号并列刻划，具有早期文字的特征。

（见《太湖地区新石器时代的陶文》，《考古》1990 年第 10 期图二）

五、良渚文化刻划符号

良渚文化 1936 年首次发现于浙江杭县良渚镇，分布于长江下游太湖地区，其年代大约在公元前 3300 年—公元前 2200 年。2007 年在良渚镇发现了规模较大的城址，大型墓地、祭坛近年来也有发现。良渚文化刻划符号主要是刻划在玉器和陶器上，不少学者考证了这些符号，并将它们与文字

---

① 张明华、王惠菊：《太湖地区新石器时代的陶文》，《考古》1990 年第 10 期。

的起源联系起来。① 李学勤认为,综观 10 件良渚玉器,有值得注意的几个特点:(1) 从位置看,符号多在玉琮上端,玉璧多在近缘处,与器上花纹不混同;(2) 从数量看,一件器物上可有几处符号;(3) 从线条特点看,多为双线勾勒或填细线;(4) 从符号构形看,出现了由几个符号联缀或重叠构成的复合符号;(5) 从器物形制看,形体较大,多系珍器。良渚玉器共有 14 种符号,李学勤直接将有的符号对应释读为"炅、鸟、山、封、燕、珏、目"等,认为它们是一种"原始文字"。② 下面所举是良渚文化玉器的代表性符号:

除了玉器,在良渚和上海马桥镇遗址(良渚文化层)陶器上也发现了各种刻划符号,如:

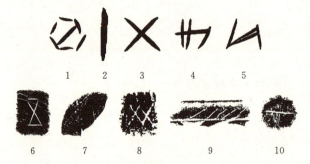

1　2　3　4　5

6　7　8　9　10

(1-5 杭州良渚,《良渚》第 25 页,施更昕著,浙江教育出版社 1938 年版;6-10 上海马桥,《考古学报》1978 年第 1 期第 115 页图一〇)

---

① 见裘锡圭:《文字学概要》第 26—28 页;李学勤:《走出疑古时代》,辽宁大学出版社,1994 年,第 101—107、第 110—112 页;饶宗颐:《符号、初文与字母》,第 57—58 页。

② 李学勤:《走出疑古时代》,第 100—106 页。

　　良渚文化刻划符号中最值得注意的就是成组刻划符号的出现。哈佛大学沙可乐博物馆收藏了一件属于良渚文化晚期的陶壶,壶圈足内壁上有成行的刻划符号。[①] 饶宗颐认为陶壶上的刻划符号就是一种早期文字,而且与甲骨文属于同一个系统,他将这组符号考释为"孑子人土宅乇(厥)厷……育",指出这是"成文的句子,且保留一臂奇肱的故事"[②]。

(李学勤摹本)

　　此外,1986、1987 年在浙江余杭县余杭镇南湖发现的良渚文化遗物中,有 5 件黑陶器上刻有陶文符号。[③] 其中一件黑陶罐肩至上腹部位按顺时针方向连续刻出 8 个符号。这组连续出现的 8 个符号,显然不是无意义的涂鸦,应该是表达了某种特定的含义,可能已经具备原始文字的性质。

---

　　① 李学勤:《海外访古续记》,《四海寻珍》,清华大学出版社,1998 年,第 67 页。
　　② 饶宗颐:《符号、初文与字母》,第 49 页;《哈佛大学所藏良渚黑陶上的符号试释》,《浙江学刊》1990 年第 6 期。
　　③ 余杭县文管会:《余杭县出土的良渚文化和马桥文化的陶器刻划符号》,《东南文化》1991 年第 5 期。

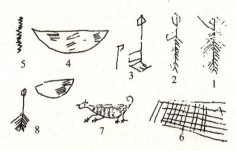

（见《余杭县出土的良渚文化和马桥文化的陶器刻划符号》,《东南文化》1991 年第 5 期）

六、大汶口文化陶文符号

　　大汶口文化 20 世纪 60 年代以来先后发现于江苏苏北、安徽皖北和山东泰安大汶口、莒阳、陵阳河和诸城前寨等地。大汶口文化晚期遗址中,共发现有 8 种 18 个陶文符号,年代约在公元前 3100 年—公元前 2600 年。大汶口文化典型的陶文符号有:

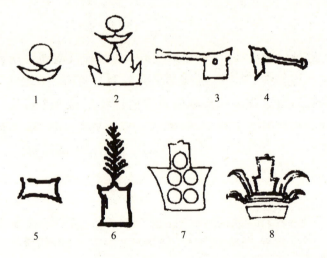

　　对这些陶文符号,学者们进行了热烈的讨论,大多数人

认为它们是研究汉字起源的重要材料并做了考释,如释符号
1、2 为"旦"或"炅"的简体和繁体,释符号 3 为"戌"、符号 4 为
"斤"、符号 6 为"封"。大汶口文化陶文符号是汉字起源研究
最值得关注的考古材料之一,虽然对这些符号是否为原始汉
字学者们认识上还不尽一致,但是它们的构形与早期汉字确
实有着明显的相似性,而且有些符号与良渚文化玉器符号是
一样的。[1]

七、龙山文化刻划符号

　　龙山文化 20 世纪 20 年代发现于山东历城县龙山镇城
子崖遗址,是分布于黄河中、下游地区的新石器时代晚期文
化遗存,其年代约在公元前 2600 年—公元前 2000 年。龙
山文化刻划符号早已不断发现,1928 年城子崖遗址发掘出
三片陶片,有 2 种刻划符号;后来在青岛白沙河南岸赵村、
河北永平县台口村、河南登封王城岗、陕西商县紫荆等地龙
山文化遗址中又陆续有所发现。龙山文化主要有以下刻划
符号:

(1-3,山东龙山文化陶器符号;4-13,河南龙山文化陶器符号;14-18,陕西龙
山文化陶器符号)

　　① 李学勤:《走出疑古时代》,第 105—106 页;裘锡圭:《文字学概要》,第 24—
28 页。

　　新近发现的龙山文化刻划符号有著名的丁公村和龙虬庄两片陶文。这两片陶文都是多个符号组合连写,学者多认为它们应该是早期的文字,是文字起源材料的重大发现。有的学者认为它们就是汉字的源头,也有学者认为这两片陶文应该是一种失传的不同于汉字的古老文字。下面分别介绍:

　　(1)丁公村陶文。1991 年秋至 1992 年夏,山东大学历史系考古实习队对邹平县丁公遗址进行了第四、五次发掘,丁公遗址是典型的龙山文化和岳石文化遗存。遗址中发现了一件平底盆底部残片,根据地层关系判断,年代约在距今 4100 年。陶片上面有 11 个连续刻划的符号。发掘者认为,这件陶片上的刻划符号就是龙山文化时期的文字,陶文为"有章句的文字",它是由大汶口文化陶文进一步发展而来的,对中国古代文明和文字起源的研究有十分重要的意义。[1]这片陶文公布后,立即引起了高度关注和热烈讨论,甚至在其真伪上也存在认识的分歧。[2]这片陶文成行连写,刻写技术娴熟,笔画连缀,类似草书,显然已具备一般文字的特征,可以认为这是一份珍贵的早期文字样本。目前我们尚无法确切辨识这些文字符号及其表达的内容,也不能确定这些符号与早期汉字到底有何关系。

---

　　① 山东大学历史系考古专业:《山东邹平丁公遗址第四、五次发掘简报》,《考古》1993 年第 4 期。
　　② 曹定云:《山东邹平丁公遗址龙山陶文辨伪》,台北《中国文字》新第 20 期;饶宗颐:《符号、初文与字母》,第 48 页。

丁公村陶文照片

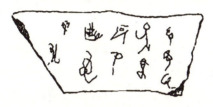

丁公村陶文摹本

（以上图片见《山东邹平丁公遗址第四、五次发掘简报》，《考古》1993 年第 4 期）

　　（2）龙虬庄陶文。1993—1995 年考古工作者先后四次对高邮龙虬庄遗址进行了发掘,在遗址东部的南荡文化遗存中采集到一片黑陶盆口沿残片,陶片内壁有 8 个刻划符号,纵向两行,每行 4 个。左行 4 个符号笔划不相连缀,相对规整,形象性不强,文字书写意味浓厚;右行 4 个符号,类似草率勾勒的动物图形,笔画连缀,写法与丁公村陶文相似。经碳十四测定,南荡文化遗存的年代约为公元前 1907（±63）年—公元前 1815（±103）年,属于龙山文化末至夏初。[①] 这片陶文与丁公村陶文类似,可以肯定它与某种失传的古老文字有关,学者至今也无法对其做出令人信服的解读。

----

　　① 龙虬庄遗址考古队:《龙虬庄——江淮东部新石器遗址发掘报告》,科学出版社,1999 年。

| 拓本 | 摹本 | 照片 |

（以上图片见《龙虬庄——江淮东部新石器遗址发掘报告》图三二四、三二三·1、彩版九）

除上述重点介绍的考古发现以外,其他新石器文化晚期遗址中也多次发现刻划符号,如跨湖桥文化刻划符号(东南沿海地区,距今约 7000—8000 年)、大地湾文化刻划符号(甘肃省秦安县,距今约 7300—7800 年)、大溪文化刻划符号(宜昌县杨家湾,距今约 6000 年)、小河沿文化刻划符号(内蒙古自治区敖汉旗小河沿遗址,距今约 4000—5000 年)、马家窑文化符号(甘肃、青海地区,距今约 4400—4600 年),等等。可见,新石器时代的刻划符号分布在我国广大的地区,时间延续长,符号种类多。对这些新石器时代刻划符号的性质、功用及其与文字起源的关系,学术界有很多讨论,认识上也存在较大分歧。如仰韶文化刻划符号有学者认为就是"汉字起源的最初形态",可以据此推测我国开始有文字的历史达6000 年之久。[①] 有学者甚至进而认为,半坡时期可能已有2000 字的规模,象形、假借字已经出现,这些符号可以与甲骨文互证,说明汉字的起源是"一元"的。[②] 也有的学者对各类

---

① 郭沫若:《古代文字之辩证的发展》,《考古学报》1972 年第 1 期;于省吾:《关于古文字研究的若干问题》,《文物》1973 年第 2 期。

② 李孝定:《汉字的起源与演变论丛》,台湾联经出版事业公司,1986 年,第71—72 页。

刻划符号进行分类整理和研究之后提出了不同的看法,认为陶器上出现的刻划符号应该分为象实物之形的陶文和几何形的陶符两类,只有大汶口文化陶文这类符号与汉字起源有关,而陶符这类符号与文字是两种不同的事物,与文字有着本质的差别,陶符从不和汉字共同使用,是一种独立的存在物。[1] 尽管学者们对新石器时代刻划符号的性质、功能的认识一时还难以统一,但新石器时代这些刻划符号的大量发现,无疑再现了汉字起源的宏观历史文化背景,而良渚和龙山文化时期那些成行出现的刻划符号,显然是中华大地上文字初创的重要证据。

---

[1]　高明:《论陶符兼谈汉字的起源》,《北京大学学报》1984 年第 6 期。

殷商甲骨文之前的汉字踪迹

从新石器时代刻划符号到殷商晚期甲骨文出现之前，汉字经历了一个从萌芽到形成体系的过程，这一点是毫无疑问的。但是，目前所发现的各种新石器时代刻划符号，还没有一种可以确定无疑的是汉字的早期形态。从各类符号的类型、数量和特征来看，龙山文化刻划符号与汉字的起源关系最为密切。龙山文化分布地域广泛，可分为不同的类型，年代相当于公元前 2600 年—公元前 2000 年左右，其晚期已进入历史上记载的夏代。在龙山文化遗址中，不仅发现了丁公村、龙虬庄这类成行连写的陶文符号，而且还发现了可以直接对应汉字的一些珍贵材料，这些材料再现了殷商甲骨文之前的早期汉字的踪迹。

一、登封王城岗遗址陶文

1975—1981 年考古工作者先后对河南登封王城岗遗址进行了发掘，王城岗遗址属于河南龙山文化中晚期城址。在王城岗文化三期遗存中发现了两种刻划符号，其中刻在泥质黑陶杯（标本 WT195H473∶3）的残底外部符号，是陶器烧制前刻上的，形状与"共"字相似。

这个遗址中的一个灰坑（H617）还发现了一块铜器残片，经碳十四测定，灰坑年代距今约 3555±150 年，经达曼树轮校正表校正，距今约 3850±165 年，这是中原地区考古发现的时代最早的青铜器残片。铜残片的发现表明王城岗遗址年代上已跨进青铜时代。有学者认为，王城岗可能是"禹都

（见《登封王城岗与阳城》第77页图三八）

阳城",这是历史上夏初进入青铜时代的考古证据。[1] 对于 H473 灰坑泥质黑陶平底器上刻的这个符号,李先登认为当是"共"字,并且指出"此字显然超过了文字的初创阶段,已是相当成熟的会意字了。从这个角度看,也可以认为,王城岗的先民们是我国文明社会的最早成员。这个文明社会,只能是夏代"[2]。王城岗三期的年代,在历史记载的夏代(公元前21世纪—公元前17世纪)涵盖的时段内,这个符号与甲骨文、西周金文"共"字的构形确实十分相近。这似乎"说明夏代确已有了文字……而且夏代文字与尔后的甲骨文、金文是一脉相承的"[3]。裘锡圭对登封王城岗龙山文化晚期遗址与陶文的判断,则采取了较为慎重的态度,认为"由于已发表的资料太少,其性质也难以肯定"[4]。

<hr />

[1]　李先登:《夏商周青铜文明探研》,科学出版社,2001年,第148页。关于夏文化研究,20世纪70年代以来,考古工作者先后在河南偃师二里头、登封王城岗、山西夏县东下冯等地进行了夏文化考古探索,获取了大量考古资料,对夏代历史的考古学证明也有较大进展。

[2]　李先登:《夏商周青铜文明探研》,第79页。

[3]　李先登:《夏商周青铜文明探研》,第89页。

[4]　裘锡圭:《文字学概要》(修订本),第32页。

43

二、襄汾陶寺遗址陶文

陶寺遗址 20 世纪 50 年代发现于山西襄汾县陶寺村，是龙山文化晚期遗址，年代约在公元前 2600 年—公元前 2000 年稍晚。1978—1985 年、2001—2004 年，先后行了两次考古发掘，发现了大量与古代文明起源密切相关的物质遗存。1984 年春，在陶寺遗址晚期灰坑 H3403 中出土一件朱书"文"字陶扁壶。陶壶为一残器，存留口沿及部分腹部，扁壶的正面（鼓腹一侧）和背面（平腹一侧）各有一个朱书文字，当为毛笔类工具所书写。[1]

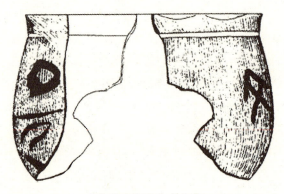

残存陶扁壶及朱书文字

许多学者对陶寺朱书文字进行了考释，正面之字可以确定为"文"字。背面文字，意见不一。罗琨释为"易"，认为这两个字应为"易文"[2]；何驽释为"尧"，说这两个字应为"文

---

① 李健民：《陶寺遗址出土的朱书"文"字扁壶》，《中国社会科学院古代文明研究中心通讯》2001 年第 1 期；高炜：《陶寺出土陶文二三事》，《中国社科院古代文明研究中心通讯》2002 年第 3 期。

② 罗琨：《陶寺陶文考释》，《中国社会科学院古代文明研究中心通讯》2001 年第 2 期。

尧"①;冯时则释为"邑",将这两个字连读为"文邑"②。尽管对第二个字的考释意见还不一致,但是这两个字与汉字属于同一符号体系应该是可以肯定的。

三、赤峰三座店山城遗址陶文

2005 年 7 月,在内蒙赤峰市三座店发现了一处保存完整、布局清楚的夏家店下层文化山城遗址。在遗址中发现的两枚陶片上有类似文字的刻划符号,符号为上下结构,具有典型的汉字结构特征。已公布的一个符号,我们

三座店陶文"宁"字陶片

认为当是"宁"字的古形。该遗址属于比龙山文化晚的夏家店下层文化山城类型,相当于公元前 2000 年—公元前 1500 年。③

四、偃师二里头文化遗址陶文

河南偃师二里头文化遗址,主要分布在河南西部,豫东、晋南、陕东及湖北境内也发现了同类型遗址。二里头文化一、二期约相当于夏文化,晚期已进入青铜时代;三、四期已经进入商文化。对于二里头文化是夏文化还是商文化,目前依然有不同意见。在二里头文化三、四期陶器残片上发现了40 多种刻划符号,主要出自大口尊的口沿内侧和其他器类的口部,有粗细不同的竖线、十字形、交叉形、镞形、树枝形、井

---

① 何驽:《陶寺遗址扁壶朱书"文字"新探》,《襄汾陶寺遗址研究》,科学出版社,2007 年,第 633—636 页。
② 冯时:《"文邑"考》,《考古学报》2008 年第 3 期。
③ 《中国文物报》2005 年 12 月 16 日第 1 版对该遗址作了报道并公布了一枚陶文图片。

字形、锯齿形,等等。①还不能确定这些符号是否为早期汉字遗存,它们与上述新石器时代符号有许多是相似的。

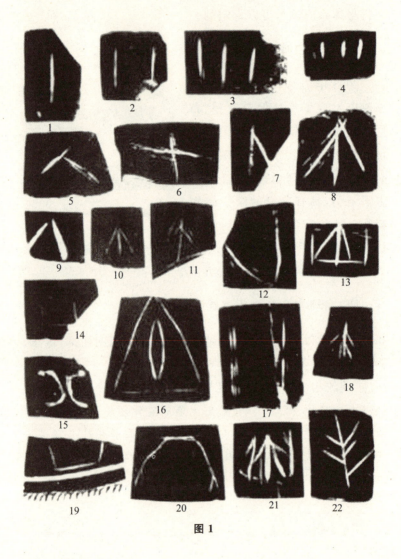

图 1

①　中国社会科学院考古研究所:《偃师二里头——1958—1978 年考古发掘报告》,中国大百科全书出版社,1999 年。

图 2

（图 1 和 2 分别是二里头三期和四期陶器刻划符号拓本，见《偃师二里头——
1958—1978 年考古发掘报告》第 203 页图 128、第 304 页图 201）

1977 年秋—1978 年夏,考古工作者在陕西商县紫荆遗址也发现了少量二里头文化陶器刻划符号,其中一个符号是刻在一件黑陶碗的残片上,字已残缺,仅见下部,刻划痕迹纤细。另外 3 个符号分别刻在一件灰陶瓶的下部两侧及器底,报道者认为这些符号是夏代文字。①

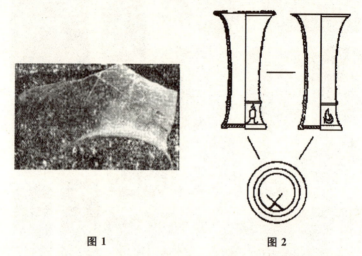

图 1   图 2

（见《商县紫荆遗址发现二里头文化陶文》,《考古与文物》1983 年第 4 期图二、三）

以上几种陶文都发现在相当于历史上夏代的时段范围内,陶文的构形特点与商周时代的汉字相似,极大可能是夏代汉字遗存的珍稀样本,如果这个推测成立的话,那就说明汉字在夏代就已经形成了。

五、商文化遗址中的早期汉字

二里岗文化是商代早期文化遗存,其年代晚于二里头文化,早于殷墟文化,相当于公元前 1600 年—公元前 1300 年左

---

① 王宜涛:《商县紫荆遗址发现二里头文化陶文》,《考古与文物》1983 年第 4 期。

右,这正是商王盘庚迁殷之前的一个时段。20 世纪 50 年代一般将二里岗文化分为上层和下层两期,后来又进而将每期分为早段和晚段。二里岗文化从下层早段到上层,分布范围由小到大,到二里岗上层时发展到了全盛时期。二里岗文化最重大的发现就是偃师和郑州商城,这两座商城的规模、建造规格和水平,足以反映出商文化的繁荣和强盛。在二里岗等商早期文化遗址中发现的汉字遗迹,可以与殷商甲骨文进行对比分析,揭示了汉字从商代前期到殷墟甲骨文的大体发展脉络。

(1)二里岗下层陶器文字。根据偃师二里头考古发掘报告,在二里岗文化下层发现了少量刻划符号,其中有一个符号是一个袋状鬲的象形符号,可能是"鬲"字的古形。

(见《偃师二里头——1958—1978 年考古发掘报告》第 357 页图 250・3)

(2)二里岗骨刻文字。《郑州二里岗》考古报告介绍了两块二里岗文化刻字牛骨:一块是遗址 T30 内出土的牛肱骨,上面刻有"屮"字,这个字是商代后期武丁时期甲骨文常用字,用作"有、又、侑"等;另一块是一段牛肋骨(采集品),上面刻有十来个文字,文例特殊,或以为是习刻字骨,上面的文字是"又山土羊乙贞从受十月"①。

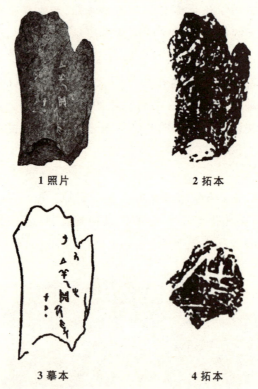

1 照片　　　　　　2 拓本

3 摹本　　　　　　4 拓本

(1-4 见《郑州二里岗》图版十六·6、图三十·24、插图十二、图三十·25)

此外,在郑州二里岗也发现了一些刻在陶器上的符号,但还不能证明这些符号就是某些汉字的早期形态。②

(3) 藁城台西商代遗址陶文。河北藁城商代遗址是一处商代中期文化遗存,1973 年河北省文管处组成考古队进行发掘,获得刻划文字或符号的陶器残片 79 件。陶文符号都是陶

① 河南省文化局文物工作队、中国科学院考古研究所:《郑州二里岗》,科学出版社,1959 年。

② 见河南省文化局文物工作队、中国科学院考古研究所:《郑州二里岗》图三十一。

器未烧以前刻上去的,一般只有一个单字或符号,只有标本 T6:011 和标本 T16:02 两件各为两个字,前者可能是"贯雀"二字,后者刻两个"九"字。陶文可分为两类:一类为工匠或器主的族氏或人名、地名,一类为数字。[1] 这些符号中有些是象形类的,可以与甲骨文"止、目、刀、大、鱼"等比较,它们无疑与殷商文字属于同一系统。

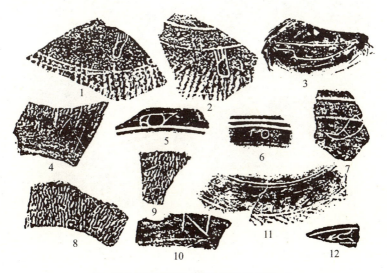

(1-12 见《文物》1974 年第 8 期第 50 页图一)

(4)吴城商代遗址陶文。江西清江吴城遗址 1973 年发现,到 2002 年先后进行了 10 次考古发掘,发现了刻在陶器上的数量较多的文字和符号,其中部分文字符号早于商代后期的甲骨文。吴城陶文符号主要刻划或戳印在器物的口沿部、肩部和底部。整理者将它们初步归纳为文字、符号和图像三类。文字类又可分为记事类和记数类;符号类刻在陶器的特定部位上,其性质多为助记类符号;图像类仅发现一件,标本

---

[1]　河北省文物研究所:《藁城台西商代遗址》,文物出版社,1985 年。

（1—14 见《文物》1979 年 6 期第 37 页图三）

1975QSWT21④：151，是一个刻划在釉陶纺轮上的鸟形图案。清江吴城文化遗址一期相当于二里岗期，二期相当于殷墟一、二期，三期相当于殷墟三、四期。① 吴城陶文符号有些可能与汉字关系不大，有的则无疑是汉字，它们与甲骨文比较接近。

① 江西省文物考古研究所、樟树市博物馆：《吴城——1973—2002 年考古发掘报告》，科学出版社，2005 年。

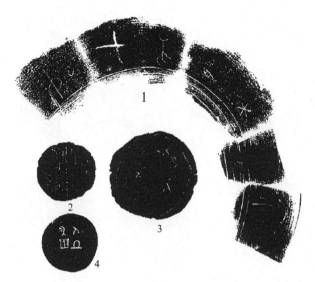

（见《吴城——1973—2002 年考古发掘报告》第 375 页图二二五）

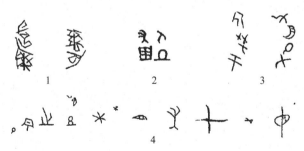

（摹本见《吴城——1973—2002 年考古发掘报告》第 376 页图二二六；1、3、4 为
吴城一期；2 为采集品）

（见《吴城——1973—2002 年考古发掘报告》第 377 页图二二七）

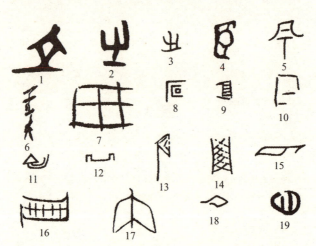

（见《吴城——1973—2002 年考古发掘报告》第 378 页图二二八；8、10、11、13、14、18 为吴城一期；1、2、17、6、15、12、19、5 为吴城二期；16、3 为吴城三期；7、4、9 为采集）

　　吴城遗址陶文符号公布之后,许多学者进行了研究,尤其是吴城一期泥质灰陶钵(1974 年采集)器底上的 4 个字和泥质黄釉陶罐(74 秋 T7⑤:46)肩部一周的文字,更引起了学者研究的兴趣。对于泥质灰陶钵器底上的 4 个字,学者们有多种考释意见①,其中李学勤释为"端田人且",认为"田作甸讲,且作祖讲,甸人是管理郊外田野的职官,端可能是当地方国的名称"②;萧良琼认为陶文表示在帚地的甸人之官在社庙用的祭器③。这两种意见可能近是。对于泥质黄釉陶罐(74 秋 T7⑤:46)肩部文字,李学勤认为可读为"端相且(祖)之宗,仲,七",其中"端"是方国名,"相"为官名,这是一件祭祀先祖的陶器,"七"为编号④;萧良琼释为"中宗之豆,燎臣帚,七",认为"中宗"可能为仲丁之子祖乙,"燎臣"是官名,"帚"是地名或人名,"七"是祭器的数⑤;饶宗颐则释为:"中宗之豆,奂,臣帚七。"⑥尽管学者们对两件陶器上文字的具体释读意见不完全相同,但他们毫无例外地都是将陶文作为古汉字看待的。清江吴城遗址显示出商文化对长江以南的影响,这两件器物上的文字早于殷墟甲骨文,说明商代中期汉字使用的区域范围已经较广,汉字已经发展到成熟的阶段。

---

　　① 唐兰:《关于江西吴城文化遗址与文字的初步探索》,《文物》1975 年第 7 期;赵峰:《清江陶文及其所反映的殷代农业和祭祀》,《考古》1976 年第 4 期;饶宗颐:《符号·初文与字母》,第 57 页;何琳仪、王文静:《甸有土田考》,《考古与文物》2010 年第 3 期。
　　② 李学勤:《李学勤文集》,上海辞书出版社,2005 年,第 191 页。
　　③ 萧良琼:《吴城陶文中的"帚"与商朝南土》,《尽心集——张政烺先生八十庆寿论文集》,中国社会科学出版社,1996 年,第 93 页。
　　④ 李学勤:《新干大洋洲大墓的奇迹》,《文物天地》1991 年第 1 期。
　　⑤ 萧良琼:《吴城陶文中的"帚"与商朝南土》,《尽心集——张政烺先生八十庆寿论文集》,第 93 页。
　　⑥ 饶宗颐:《符号·初文与字母》,第 57 页。

（5）西雅图藏方鼎铭文。西雅图博物馆收藏的一件方鼎，年代应在二里岗时期和殷墟早期之间，该鼎铸有两个铭文。其中一个是"癸"字，另一个是氏族徽号，见于商代金文。[①]

（见《四海寻珍》第 242 页图 28）

（6）郑州小双桥遗址陶器朱书。郑州小双桥商代文化遗址 1989 年发现，1995 年起组织发掘，年代相当于二里岗上层晚段。这是商代中期的一处都城遗址，学者认为可能就是商王仲丁"自亳迁于隞（嚣）"的隞都。该遗址发现了与甲骨文为同一系统的朱书陶文。朱书陶文仅仅发现于祭祀区的地层和遗迹中，多见于小型缸的表面。[②] 小双桥遗址朱书文字以单个符号为主，组合符号少见，是典型的软笔手书，总体上可分为三类：一是数字，共发现 4 处，代表 3 个数目字；二是象形文字或徽记类；三是其他类。[③] 从文字形态到结构都与商代后期的甲骨文相似，显示出两者属于同一系统。

---

① 李学勤：《四海寻珍》，清华大学出版社，1998 年，第 241—242 页。
② 河南省文物考古研究所、郑州大学文博学院考古系、南开大学历史系博物馆学专业：《1995 年郑州小双桥遗址的发掘》，《华夏考古》1996 年第 3 期。
③ 宋国定：《郑州小双桥遗址出土陶器上的朱书》，《文物》2003 年第 5 期。

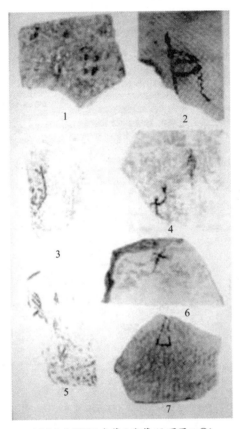

（见《文物》2003 年第 5 期第 41 页图二〇）

汉字创制和形成的可能路径

从对古代汉字起源传说的审视,到对新石器时代考古新材料的梳理,再到对夏和商代早期文字踪迹的追溯,我们虽然还不能完全揭开汉字起源的谜底,但大体上可以描绘出汉字初创和形成的可能路径。

汉字的形成与世界上一般文字体系的发生一样,经历了一个漫长的摸索过程,这个过程是文字发生的机制逐步建立,符号素材逐步积累,符号创制方法逐步完善,记事(传达信息)方法逐步改进(由实物、符号、图画助记到记录语言)的过程。中国考古学发现表明,进入新石器时代之后,在我国西北、中原、东北、山东半岛和长江中下游等广大地区,先民们曾有过多种创制文字的尝试,正是这些尝试拉开了汉字创制的序幕。龙山文化刻划符号的成行出现,已经显示原始文字呼之欲出的态势。

龙山文化晚期相当于我国历史记载的夏代初期,这正是我国古代文明形成的关键时期。我国古代文献记载的第一个王朝就是夏代,考古发现的相当于夏代的文化遗存表明,当时已进入阶级社会和文明时代。"到夏代初期的龙山文化晚期,从考古发现来看,社会生产力有了突飞猛进的发展,已经进入青铜时代。"[①]夏代是汉字进入创制并形成体系的时代具有极大的可能性。登封王城岗、襄汾陶寺、偃师二里头、赤

---

① 李先登:《试论中国文字之起源》,原载《天津师大学报》1985 年第 4 期,又收入《夏商周青铜文明探研》第 267—273 页。

峰三座店等遗址中发现的陶文,与汉字都属于一个系统,可能是夏代文字的珍贵样本。根据文献记录,夏代已经拥有图书①,图书的出现自然也就是文字发展到成熟阶段的标志。《尚书·多士》:"唯殷先人,有册有典,殷革夏命。"这段记载比较可信,说明夏商之际已经有了"典册"。新出西周青铜器燹公盨有这样的记载:"天令(命)禹尃(敷)土,堕山浚川,廼差方设征,降民监德。"这篇铭文与《尚书》《诗经》《大戴礼记》等文献关于禹治水等事迹的记载可相印证,有的文句也完全相同,这表明传世文献一定渊源有自,很可能是夏代历史和传说记录的传承。由西周青铜器铭文与传世文献关于禹的记载的一致性,也可以推知关于夏代的历史应该早有文字记载传世。因此,无论从考古实物还是文献记载来看,到夏代汉字的创制应该已经基本完成,夏代之后汉字进入到发展完善的阶段。

商前期二里岗陶文和骨刻文字、小双桥朱书陶文、藁城台西陶文、清江吴城陶文等,都是商代前期、中期之物,与殷墟甲骨文为一脉相承的关系是毫无疑问的。这些材料的发现,可以让人一窥商代早期汉字的面貌。商代早期这些文字的形态结构与王城岗、陶寺、三座店陶文是一致的,它们也多是零星出现,不可连读。商代前期汉字的确定,可以进一步说明王城岗等陶文也应当是早期汉字。这样,就很自然地建立起由殷商甲骨文——商中期陶文——商前期文字的追溯线索,进而可以系连到二里头(三、四期与商前期)和王城岗陶文。以上建立在考古学材料基础上的系连,说明汉字在夏代已经形成是合乎情理的推论。

---

　　① 　《吕氏春秋·先识览》:"夏太史令终古出其图法……乃出奔于商。"据《太平御览》卷六一八所引"图法"作"图书",这是夏代有"图书"的文献佐证。

以上的介绍和梳理显示,汉字的创制和形成大概经历了这样一个过程:

(1)原始文字的出现:我国原始文字的创制时间甚至可以追溯到新石器时代中期,中原地区贾湖遗址的甲骨刻划符号可能就是原始文字的形态。经过各个文化区域文字创制的艰难尝试和漫长探索历程,到新石器时代晚期原始文字符号实现了重要的改进和丰富,在良渚文化、龙山文化中出现了成行的文字符号,表明文字的创制已经迎来灿烂的曙光。我国广大地区新石器时代出现的原始文字为汉字的创制和形成提供了一个宏观的背景。

(2)汉字的创制和形成:经历新石器晚期的进一步发展,到龙山文化晚期夏王朝建立之时,随着政治、经济、文化的全面发展,夏人创制的文字逐步发展到成熟阶段,最终形成了沿用至今的汉字系统。商汤灭夏桀之后(公元前16世纪),沿续承袭了夏人创造的汉字(不排除商人早已使用),历经200多年的进一步改进完善,发展到殷墟甲骨文为代表的殷商晚期的水平。

(3)汉字创制的机理和形成的进程:图画符号和刻划符号是创制汉字的符号源泉;汉字创制的机理,大概与一般文字的产生相似,首先是由图画符号发展为图画文字,然后由图画文字演进成为有特定意义的初文,在初文的基础上逐渐改变意义,扩大功能,孳乳繁衍,日趋完善,最后发展成为成熟的文字系统。

依类象形　孳乳浸多

——"六书"与汉字构造

　　汉字不仅创制和形成的历史悠久,而且数量繁多,字形复杂。数以万计的汉字是按照什么方式构造的? 有没有规律可循呢? 对这个问题,先秦时代的人们就有所关注,并且总结出汉字构造的一些规律,如"止戈为武"(《左传·宣公十二年》)、"自环谓之私,背私谓之公"(《韩非子·五蠹》)等,说的就是"武、私、公"三个字构形表意的道理。随着汉代文字学的建立,古人对汉字构造特点和规律的认识也越来越深入,形成了著名的"六书"学说。近代以来,甲骨文等古文字新材料不断发现,汉字结构的研究更是不断取得新成果。

汉字构造与"六书"说

　　先秦时期已经出现了对汉字构形的分析,传统文字学的理论核心"六书"在先秦就有了。根据《周礼·地官·保氏》的记载,王室教育贵族子弟,要学习"五礼、六乐、五射、五驭、六书、九数"等"六艺"科目,"六书"作为"六艺"之一,是贵族子弟的必修课。不过,《周礼》提到的"六书",只有名目,具体包含什么内容并没有涉及。汉代郑玄给《周礼》作注释,引用郑众的说法,认为"六书"指的是"象形、会意、转注、处事、假借、谐声"。班固在《汉书·艺文志》中说:"《周官》保氏掌养国子,教之六书,谓象形、象事、象意、象声、转注、假借,造字之本也。"班固提到的"六书"名称与郑众略有差异,他还特别指出"六书"是"造字之本"。许慎《说文解字·叙》首次对"六书"作出明确的界定并举例加以说明,许慎说:

《周礼》八岁入小学，保氏教国子先以六书：一曰指事，指事者，视而可识，察而可见，上下是也。二曰象形，象形者，画成其物，随体诘诎，日月是也。三曰形声，形声者，以事为名，取譬相成，江河是也。四曰会意，会意者，比类合谊，以见指㧑，武信是也。五曰转注，转注者，建类一首，同意相受，考老是也。六曰假借，假借者，本无其字，依声托事，令长是也。

"六书"名目，三家完全相同的，只有"象形、转注、假借"；至于"象事""指事"与"处事"，"象意"与"会意"以及"象声""谐声"与"形声"等，是否就有实质性的差别，因班固、郑众无具体解说，不得考其原意，难以作出结论。至于三家"六书"排序的差别，是否另有深意，也很难说清楚。从学术渊源来看，三家"六书"说实际上出于同一师门，都是从刘向、刘歆父子那儿直接或间接传承下来的。班固《汉书·艺文志》根据《七略》编纂而成，郑众的父亲郑兴是刘歆的弟子，许慎师从贾逵，而贾逵的父亲贾徽也是刘歆的弟子。《后汉书·郑兴传》："世言左氏者多祖兴，而贾逵自传其父业，故有郑贾之学。"唐兰认为："周礼和左传都属古学，所以两个六书说的不同，显然就是郑学和贾学的不同。"[1]"郑许都是刘歆的再传或再再传弟子，所以可以认为是刘歆一家之学。"[2]三家"六书"说既然渊源相同，大概不会有什么根本性的区别。

许慎对"六书"解释，一直是理解"六书"所遵循的经典理论。由于许慎所作的定义过于简略，后人的理解也存在着各种分歧，尤其是"转注"一书，众说纷纭，至今都没有形成共

---

[1] 唐兰：《中国文字学》，上海古籍出版社，1979年，第68页。
[2] 唐兰：《中国文字学》，第15页。

识。自东汉以来,"六书"就成为汉字构造分析的主要理论和方法,到宋代以后还出现了各种以"六书"为名目的字书,对"六书"的分类也越来越精细,这就是文字学史上提到的宋元时期的"六书"之学。但是,历史上研究"六书"的文字学者,大都拘泥于《说文》,并没有取得什么实质性的进展,虽然有的著作条分缕析,看似精细,实际上却不能解决什么实际问题。

　　根据研究,"六书"并不都是处于同一层次的概念,也就是说"六书"并不全是代表汉字结构类型的。许慎《说文解字·序》说:"仓颉之初作书,盖依类象形,故谓之文,其后形声相益,即谓之字。字者,言孳乳而浸多也。"许慎把汉字的构造,分为"文"与"字"两类,"文"指的是以象形为代表的表意字,"字"则指的是形声相益而孳乳的形声字。"六书"不仅包含了不同类型的"文"和"字",还包括了文字使用方法。清戴震认为,"六书"之中只有"指事""象形""形声""会意"是造字之法,"转注""假借"二者是用字之法。[①] 今天看来,"六书"实际上包含了三个层次:"指事、象形、会意、形声",概括的是汉字的结构类型;"假借",揭示的是汉字运用中的同音借用现象;"转注"指的可能是汉字形体的孳乳分化现象,即由字义引申("同意相受")而追加形符构成新字("建类一首")。因此,"六书"只有四种是讲汉字结构的,这四种类型又统属于"文"和"字"两大类。至于"假借""转注",则不是分析汉字构造的。

　　许慎对汉字结构的分析基本上利用的是小篆形体,可供参考的古文、籀文十分有限。近百年来,大量古文字材料被发现,利用古文字材料可以更加准确地把握汉字的构造特点

---

　　① 戴震:《答江慎修先生论小学书》,《戴震集》,上海古籍出版社,1980年。

和规律,也进一步证明"六书"蕴涵一定的合理性。对汉字结构的分析,我们应尽可能地借鉴传统"六书"理论中的合理成分,同时依据古文字材料,对传统理论予以适当完善和改进。

　　作为世界上持续使用至今的唯一古典文字系统,汉字与表音文字相比有自己的鲜明特点,一方面汉字系统保持着自己"以形表意"的传统,那些"近取诸身,远取诸物",描摹客观世界物象特征而创制的符号被长期传承使用;另一方面通过记录词语读音,"形声相益"而孳乳派生出的形声字则成为汉字系统的主体。同时,利用"依声托事"的假借方法,使得汉字符号系统中还出现假借字这样一类纯粹记音的符号。下文我们分别对这些不同结构类型的符号作简略的介绍。

以形表意：汉字符号创制的基本方法

　　"以形表意"是汉字系统符号创制的基本方法。"以形表意"就是通过描摹词语记录对象的形态特征来构成文字符号，这类文字符号有的直接来源于刻画记事或图画记事中的图形符号，有的则是受图画文字的启发而构形。"六书"中的"象形、指事、会意"都可以归于以形表意类构形方法。

一、象形

　　象形，指通过对词语概念所指客观对象的象征性摹写来构成文字符号的方式。许慎给象形下的定义是："象形者，画成其物，随体诘屈，日月是也。"这个定义较为准确地概括了象形造字的特点，所谓"画成其物"是指根据词语所代表的客观物体特征来构成字形，"随体诘屈"是指描摹物象来构成字形的具体方法。许慎以"日、月"为例，在书中他具体解释为："日，实也，太阳之精不亏，从口一，象形。""月，阙也，太阴之精，象形。"按许慎的意思，"日"象"圆日"之形，"月"为"缺月"之象，都是"画成其物"而构成的字形。甲骨文"日"作⊟，"月"作 ）①，象形的特点更为明显。"象形"这种构形方式是早期文字符号构造的共同方式，不同民族的古文字开始时大都是通过描摹具体物象来构成词语的记录符号。值得注意的

---

　　① 本书分析汉字结构所举的古文字字例主要来源于《甲骨文编》（中华书局1965年版）、《金文编》（中华书局1985年版）、《秦汉魏晋篆隶字形表》（四川辞书出版社1985年版）等常见工具书，同时补充一些新出材料。读者若需要了解更多字形，可查阅原著。

是,象形文字只是一种书写符号,它与客观事物之间实际上存在着巨大差别,这类符号构造时是用以形表意的方法来建立符号与词语概念的对应关系,认知和使用这类符号时形象性特征易于启发和引导人们联想到相关词语概念,因此,所谓"象形"也只需要对一种事物的特征进行简单地勾画,并不需要做到惟妙惟肖的表现。用象形的方法构成的文字符号还可以分为不同的小类:

一是整体摹写类象形字,就是采取摹写事物整体轮廓的办法来构造字形符号。这类象形字,具有形象直观的特点,是象形结构的主要构型方式。如:

"鸟",甲骨文"鸟"字描绘鸟的整体形态,《说文》:"长尾禽总名也,象形。""鸟"字的形体演变如下:

      (甲骨文)——(金文)——(小篆)——(隶书)

"鱼",甲骨文就画一条鱼的形状,《说文》:"水虫也,象形。""鱼"字的形体演变如下:

      (甲骨文)——(金文)——(小篆)——(隶书)

"人",《说文》:"天地之性最贵者也,此籀文,象臂胫之形。""人"本象人侧面站立之形。"人"的形体演变如下:

      (甲骨文)——(金文)——(小篆)——(隶书)

"象",《说文》:"长鼻牙,南越大兽……象耳牙四足之形。"甲骨文"象"尤其生动形象,长鼻正是"象"的特征,小篆字形略有变化,许慎所说的"象耳牙四足"是就变形而言的,"象"是大象的侧视形态,突出了象的长鼻子。"象"字的形体演变如下:

      (甲骨文)——(金文)——(小篆)——(隶书)

　　像"女、目、马、犬、且、虎、鹿、虫、贝、豆、鼎、刀、戈、弓"等许多常用字,都是用整体摹写的方式构造的。

　　二是特征突出类象形字,这类字是通过突出和夸大记录对象的特征部分来构成表达一定概念的符号。这类象形字大都凸现出与字义密切相关的"特征"部分。如:

　　"元",《说文》:"始也,从一从兀。"许慎根据小篆形体分析字形结构,并进而解释"元"这个字的构造本义。许慎分析"一"时说:"惟初太极,道立于一,造分天地,化成万物。"所以他认为"元""从一"是用来表示"始"义的。从古文字看,"元"象人侧立之形,突出头部,本义当为"首"。《左传·僖公三十三年》:"(先轸)免胄入狄师,死焉。狄人归其元,面如生。"杜注:"元,首。"《孟子·滕文公下》:"勇士不忘丧其元。""元"指的也是"首",用的是本义。商金文"元"字头部特征明显,"元"头部的圆点变为一短横,就失去其构形本义了。"元"字形体演变如下:

　　(商金文)——、(甲骨文)——(金文)——(小篆)——元(隶书)

　　"天",《说文》:"颠也。至高无上,从一大。"许慎先以"颠"来解释"天"("颠"指"头顶"),接着又用"至高无上"来说明"天"这个字为什么"从一大",实际上包含了两层意思。从文字符号构造来看,"天"字本来指人头,作为象形字,这个字是画一个人的正面形(大),然后突出头部。甲骨文写作,西周早期金文写作,都是将头部写得比较突出,甲骨文用虚勾,金文填实。头部后来逐渐变为一横,与上举"元"的变化一样。"天"的形体演变如下:

　　(商金文)——(甲骨文)——(金文)——(小篆)——天(隶书)

"闻",甲骨文是一个象形字,表示"听见"的意思,构造字形符号时突出人的听觉器官"耳朵",并且象一人扬手作认真听的姿态。这个字是通过描摹动作的体态,突出行为的特征来构成字形。西周金文"耳"与身体部分分离,原字构形的特征就不明显了,后来又改造成为"从耳昏声"或"门声"的形声字。"闻"字演变如下:

(甲骨文)——(金文)——(战国金文)——聞(小篆)——聞(隶书)

"见",这个字本来也是个象形字,突出人的眼目,表示"看到"。"望"字构形可以与"见"字进行比较,甲骨文"望"作等形,将人的眼睛竖立,"人"身体挺直,以突出"远望"之义。"见"的字形演变如下:

(甲骨文)——(金文)——(小篆)——見(隶书)

"望"与"见"的构形同理,都是突出视觉器官"目","见"作横目,"望"作竖目,体现了"见"和"望"动作形态的差别,都是特征突出的象形字。"望"或在下面加一个"土",表示"人"站"土堆"上,有登高望远的意思。从"土"则变为会意字了,后来从"土"这一异体保存下来,并与人身部分结合,又加"月"字,遂成为"朢",又讹变出"望"形,许慎将它们分作两字。"朢""望"古文字阶段的形体变化如下:

(甲骨文)——(金文)——(金文)——(金文)

特征突出的象形字出现较早,它是在整体摹写的基础上,突出表现代表词义的最有特征部分,其他部分只是起辅助作用。有时这些辅助性部分甚至可以省去,以最有特征的部分代表整体,如牛和羊最有特征的部位是头部和"角",甲骨文的"牛"和"羊"分别是牛头和羊头的象形,代表的却是

"牛"和"羊"。古文字"车"本来是有辕、舆和两轮的整体象形字,后来省略其他部分,只保留车轮来代表车。到战国时代,不少字采用了保留特征部分而省简,如"马"由突出马鬃的象形字省作马头与鬃毛,"象"由突出象鼻的象形字省作象头与鼻,"虎"省去身体其他部分只剩虎头,都是以特征部分代替整体象形字的例子。至于"闻、见、望"等字,虽然早期都是通过描摹某种体态行为整体特征来构形的,但是这类字很容易与会意字相混,随着汉字形体演变的加剧,这些字当初的形态特征逐步消失,于是它们就被改造成为会意字或形声字了。

三是随形附丽类的象形字,这是象形字中特殊的一类。有些事物形体细微而又没有明显的特征,无法通过直接摹写其形状来构成文字符号,古人就从事物之间的联系性入手,采用随形附丽的办法构成象形符号。比如古人要为毛发类的词语构造符号,就将毛发附丽的主体一并表现出来,"眉"是"目上毛"就附着在"目"上,"须"是"面毛"就附着在人面上,"髭"为"口上毛"就附着在口上,如果脱离了附着的"目、页、口(从大)",这些表示"毛须类"词义的象形字就没有办法构造。"眉、须、髭"三字的古文字形体及其演变如下:

(甲骨文)——(金文)——(小篆)

(金文)——(金文)——(小篆)

(金文)——(甲骨文)——(金文)——(小篆)

随形附丽这类构形方法,是对客观事物相互关系的发现和运用,通过局部与主体的关系来构造代表某些事物难以表达的形象。"次"字也是很典型的例子,这个字是"涎"的原始字。许慎《说文》:"慕欲口液也,从欠从水。"甲骨文和金文都像一人张口,口液从嘴中流出,口液用"点"来表示,原来并不是"从水"。因为口液的形状无法取象,甲骨文就取一人张口之形(即"欠"字),将一些"点"附丽于"欠"上,表明它们是"口液"的象形。后来用"羡"字来取代,进而造出一个"从水延声"的"涎",这是后起的形声字。这个字的形体演变如下:

　　🖾(甲骨文)——🖾(甲骨文)——🖾(小篆)

　　类似的字例还有:"齿",《说文》:"象口齿之形,止声。"甲骨文本来只象口齿之形,作🖾,后又加声符"止"作🖾,成为形声字。"齿"字代表的意义是"牙齿",字形却象"口齿",因为"齿"离开"口"无法取象,只有附丽于口形字义才能显明。"州",甲骨文作🖾,金文作🖾,象川中之陆地,中间川水环绕的部分就是"州"。小篆形体经过部件"类化"后作🖾,变为"重川"之形。"巢",周原甲骨文作🖾,西周金文作🖾,小篆作🖾,《说文》:"鸟在木上曰巢,在穴曰窠,从木象形。"许慎分析"巢"字"从木象形",揭示了"巢"附丽于"木"的构形特点,这是很恰当的解释。"果"字构形,《说文》分析为"从木,象果形在木之上",更加明白地指出了"果"随形附丽的特点。

　　"随形附丽类"象形字,是利用对象之间的互相依存关系来构造字形,将特征不明、形体难象的概念恰到好处地表达出来。由于这类字的构造要依赖形体的形象性和直观性,随着汉字形体的发展,形象特征逐步减少,构形原义从演变了的字形中就变得无法辨别,这种方法也就不再具有构成新字的条件了,已经出现的字或者经历形体结构的改造,或者因形体演变而丧失构形理据。

　　总体看来,"整体摹写""特征突出""随形附丽",只不过是象形字构造时"画成其物"的具体方式的差异,它们都是从客观物象的形体特征入手来构成记录词语符号的。象形结构是汉字符号系统构成的基础,象形字是构成其他表意字和形声字的基本材料。在汉字系统中,象形字出现较早,殷墟甲骨文中常见的象形字大都已经出现,西周后出现的象形字微乎其微。

二、指事

指事是指利用抽象点划的标指与组合来构成字形符号的方法。《说文解字·序》:"指事者,视而可识,察而可见,上下是也。"许慎的定义只概括了指事字的一些认知特点,虽然他列举了"上、下"两个字例,但是,历来对指事字的认识是见仁见智。根据指事字构形特征,"抽象符号"在指事字构成中是一个关键性因素。指事字可以分为三个小类:

一是因形指事类。指事字中最常见的是"因形指事",大多数指事字是利用这种方法构成的。"因形指事"就是在象形字基础上加上一定的标指符号来构造字形符号。如《说文》分析"本、末、朱"三字时,说"本,木下曰本,从木,一在其下","末,木上曰末,从木,一在其上","朱,赤心木,松柏属,从木,一在其中",许慎对这三个指事字的分析非常精到。三个字都"从木","一"作为抽象标指符号并没有实在含义,只是指明字义所在,因"一"加在"木"上的位置不同就形成了三个不同的字。指事字大多类似这种情况,只是标记的抽象符号往往因象形字的形体特点而有不同的变化,如下举各字:

"厷",是"肱"的古形。甲骨文"厷"字所从 ,像人的手臂之形,与"又"相近而有细微的差别。在 下部弯曲处加上一个曲画,用来标示"肱"所在的位置,作 (甲骨文)。在小篆 中这个指事符号变为 ,"肱"则是后来派生的形声字。

"亦",《说文》:"人之臂亦也。从大,象两亦之形。""亦"就是"腋"的本字。许慎说"从大,象两亦之形",指的是小篆 所从"大",两点是标指"腋"所在位置的符号,没有实在的含义。"亦"甲骨文作𡨎、金文作𡨎,字形到小篆都没有什么变化。

"夫",甲骨文作𡗓,《说文》:"丈夫也。从大,一以象簪也。""一"加于"大"之上,标指达到成人的高度,未必是簪的象形。古代男子二十而冠,冠必有簪,这大概是许说所据。

"至",《说文》:"至,鸟飛从高下至地也。从一,一猶地也。"甲骨文"至"作𡳞,是个指事字,指"矢"射到一定的位置就是"至","一"不是地的象形,而是标指符号。许慎说"矢"是"鸟",是对小篆形体的误解。与"至"的构造同理的是"之"字。"之"甲骨文作𡳣,表示"脚"走到一定的位置,也是"至"的意思,于是在"止"上加上标记符号"一"。这两个指事字的构形方法完全一致,许慎解释"之"时说"止"是"屮","一"是地,同样是根据小篆形体望文生义。

二是因声指事类。所谓"因声指事"是借用原字的读音,附加一个标指性符号以构成新字,新字的读音与被标记的字原读音相同或相近。如:

"百",《说文》:"十十也,从一白。数,十百为一贯,相章也。"甲骨文"白"作𢍺,为"伯"的本字,如甲骨刻辞中的"方白"就是"方伯"。"百"甲骨文作𢍺是在"白"字中间加一个折角的标指符号,作为指事字的标志,以别于"白",而仍借"白"字读音,构成一个表示数目的"百"字。甲骨文或加一横作𢍺,是由"一百"合文变来的,进而发展成为𤼵(金文)和𤼽(小篆)。

"尤",《说文》:"异也。从乙又声。""尤"甲骨文作𠂔,在"又"字上部附加一横划或斜划,作为指事字的标记,与"又"相区别而借"又"字的读音,造出一个词义抽象的"尤"。小篆变作,许慎说"从乙"也是就小篆形体而言的。

"音",《说文》:"声也……从言含一。"金文中"音"与"言"经常互用无别,后来才分化成两个字。"言"甲骨文作𤼵,金文作𤼵,"言"本身就是一个因形指事字,是在甲骨文"舌"(𤼵、𤼵)

上加一个标指符号构成的，表示"言"由"舌"出。"音"字金文作𤄃，又是在"言"字下部"口"中附加一小横划，作为指事字的标记，与"言"相区别并借"言"字为声，造出一个无形可象的"音"字。

"世"，《说文》："三十年为一世，从卅而曳长之，亦取其声也。"金文"止"可以借作"世"用，在"止"上加一点或者三点，作𤓯或𤓰，借用"止"的读音，就构成了"世"字。许慎根据小篆形体𠁀来说解字形，因此出错。

"因声指事"是一种因利乘便的方法，在原字的基础上附加简短的点划作为标指，不仅可以达到指事的目的，还可以借助原字的读音。不过，总体看来这类指事字数量极其有限。

三是刻划指事类。"刻划指事"指的是不依靠象形字或借助某一字的读音附加指事符号来构成文字符号，而是直接选取抽象符号或利用抽象符号的组合变化来构形。如"上、下"二字，《说文》："上，高也，此古文上，指事也。"许慎以"丄"为古文"上"，甲骨文作二，短划在上，长划在下，表达抽象的方位"上"的意思。"下"则相反，篆文作丅，甲骨文作二，上长下短，就是"下"。汉字数字"一"到"十"，甲骨文作：一 二 三 亖 𝖷 ∧ ＋ 八 九，多数数字是利用抽象符号组合而成的。古文字中还有一些较为复杂的刻划指事字，如"丩、爻、文"等字，大概都是来源于刻划符号的指事字。"丩"，是"纠"的古字，《说文》："相纠缭也，一曰瓜瓠结丩起，象形。"甲骨文作𠃐或𠃑，很难说所象何物。"爻"，《说文》："交也，象《易》六爻头交也。"金文作爻、𤕪等形，是刻划符号交错之形。"文"，《说文》："错画也，象交文。"甲骨文作𠁣、𠁥等形，象"错画""交文"的样子，"纹"是后起的派生字。甲骨文和金文"文"还有从"心"的，可能古人认为"文"是一种心智活动。

"刻划指事"这类字,很可能来源于早期的刻划记事。刻划记数或记事,是世界上原始民族曾普遍使用的方法,我国多个新石器晚期遗址都发现了原始刻划符号。由于这种刻划符号具有某些记事的功能,在构造文字符号时,就会自然而然地将那些记事功能强的符号继承和吸收为文字体系中的某些成分。早期金文中有不少抽象符号,虽然我们还无法说明它们的具体含义,但是,其本源应当都是刻划符号,也可归为刻划指事字一类。

"刻划指事"类文字符号,是利用一定的抽象符号的组合代表某种意思,主要是建立在约定俗成基础上的,它们渊源有自,其内涵和作用只在一定的交际领域为人们所熟知,因而对刻划指事的解释存在较大的难度。

三类指事字共同的特点,就是利用抽象符号的标指或组合功能来构字。"因形指事"借助象形字,加上标指符号,恰当地表示出字义属于该象形字整体中的部分,如"本、末、朱、亦、厷"等等,或者以标指符号表示一定的位置,从原字与这个标指符号的关系中表示字义,如"夫、至、之"等字。"因声指事"借助同近音关系和标指符号,通过声音关系建立形与义的联系来构成新字。"刻划指事"则直接取自记事的刻划符号,利用抽象刻划的组合,构成代表一定意义的文字符号。可见,刻划符号在指事字中有着举足轻重的地位,它们的有无、出现位置的异同以及组合关系的变化,在指事字的构造中起着决定性的作用。

三、会意

会意是利用两个以上的表意符号或字符组合来构成新的文字符号的方法。许慎的定义是"比类合谊,以见指撝",举的例子是"武"和"信"。他对二字的解释是:"武","楚庄王曰：夫武定公戢兵，故止戈为武"；"信"，"诚也。从人从言，会意"。许慎的解释有助于我们对"比类合谊，以见指撝"的理解。段玉裁为《说文》作注说："会意者，合谊之谓也。"按段玉裁的解释，会意字就是把含意不同的字"会合"在一起表达一个新义。在字形上，会意字的最大特征就是结构比较复杂，由单个字符组合成合体，而且参与构形的各个要素都与字义有一定的联系。实际上，会意字的字形组合和表意方式是多种多样的，不能简单地将两字之义相加就当作会意字的本义来看，所以有人认为"会意"的"会"是"体会""体悟"的意思。先秦时代的会意字，主要是利用会意字各构成要素的形体特点和各部分的组合关系来构成表达新意的字，一般都比较形象和直观。下面略举数例：

"陟"和"降"，这两个会意字表达的字义相对，构形上也可对比分析。《说文》："陟，登也，從𨸏从步。""降，下也，从𨸏夅声。"𨸏，即"阜"，指"大陆山无石者"。"陟"这个字"从𨸏从步"，会登高（阜）之意。《诗·卷耳》"陟彼崔嵬""陟彼高岗"，用的就是"陟"的本义。甲骨文作，是两个"止"（脚）沿着"阜"向上走。"降"甲骨文作、，与"陟"相比，两"止"倒写，表示脚向下走，向上为"陟"，向下为"降"。"降"也是个会意字，并不是从"夅声"的形声字。《诗·公刘》"陟则在巘，复降在原"，正是"陟""降"相对而用的典型例子。随着字形的变化，两"止"向上作"步"，向下则写作"夅"。

"出"和"各"两个会意字，构形思维方式与"陟"和"降"如出一辙。《说文》："出，进也，象艸木益滋上出达也。"许慎对字形的分析根据小篆，解说也是错误的。这个字的形体演变过程是：

（甲骨文）——、、（金文）——（小篆）

就甲骨文、金文看，"出"上部分是"止"，与"陟""降"一样代表人在行走，下部分作∪或凵，代表早期人们住的半地穴房屋，"出"字从止从凵（凵），表示从半地穴式房屋中走出来，这就是"出"字的构形本意。由于小篆"出"所从的"止"与"屮"相近，导致许慎的理解错误。"各"字的构形正好与"出"字相反，表示走到半地穴式房屋里面。"各"甲骨文作᩠、᩠，脚趾方向朝∪或凵，与"出"所从之"止"方向相反，意义也相对。"各"的造字本义在典籍中常用"徦""格"二字来表示，意为"至"。许慎解释"各"为"异辞"已不是它的原意了，对字形的分析也是不对的。

"眾"，《说文》"多也，从众目，众义。""众，众立也，从三人。""眾"甲骨文作᩠、᩠，从"日"从"众"，表示太阳升起后众人一起劳作，到西周金文"日"讹成"目"，写作᩠、᩠，小篆从"目"就是这么来的。

"伐"，甲骨文作᩠，以"戈"加于人首，表示用戈砍伐人头。到春秋时代金文作᩠，"戈"与"人"分开写，小篆写作᩠，就是从这个形体来的。《说文》："伐，击也。从人持戈。"本来是被砍伐的"人"，许慎误解成持戈的人。甲骨文"戍"作᩠，金文作᩠，《说文》："戍，守边也，从人持戈。""伐"与"戍"，许慎根据小篆分析字形相同，从甲骨文看，二字分别明显，"伐"字的"戈"加于人颈上，"戍"字的"戈"与"人"则是相分离的。

会意字中有一类是利用相同的偏旁部件构成的，这类字有人称之为同文会意，如"竝"从二"立"，"众"从三"人"。《说文》收录了一百多个同文会意字，如："从，相听也，从二人"，"比，密也，二人为从，反从为比"，"北，乖也，从二人相背"，"雔，双鸟也，从二隹"，"覞，并视也，从二见"，"沝，二水也"，"品，众庶也，从三口"，"森，木多貌"，"雥，群鸟也，从三隹"，"磊，众石也"，"骉，众马也"，等等。一般说来，由两个相同偏

78

旁组成的会意字多含有并比隹对之义,三个以上相同的偏旁组成的字,多含有众多等义。

上面这些会意字,字形和字意的关系较为直观、具体,尤其是古文字阶段,构成会意字的各个部分的组合关系和方向位置都体现出表意的细微差别,组合关系不同代表的字义就不一样,有时在组合中因方向的改变(如"陟"与"降""出"与"各")、位置的差别(如"伐"与"戍")就构成了不同的字。通过对会意字形体分析和组合关系的仔细观察一般就可以体会到构形的旨趣。随着汉字形体的不断发展演变,早期会意字的构形关系逐渐变得难以通过形体观察直接把握了,后人分析字形时也因此发生了许多差错和理解偏误,如《说文》对以上各例的分析解说,与构形原意多不相合。即便是许慎给会意下定义所举的"武、信"二字,采用"止戈为武""人言为信"的解说,也是后人的一种理解或误解。"武"字甲骨文已经出现,在甲骨文中"止"是脚的象形字,作偏旁用一般代表人的行动,"武"这个会意字本来应当指人扛着兵器(戈)而有所行动,可能指的是采取武力行动,而不是"制止干戈(战争)"的行为。"信"出现较迟,古文字中或写作𦥒,"从言从身"。这个字可能是一个"从言身声"形声字,"信"中的"人"也是声符。春秋战国时期,用"止戈为武""人言为信"来理解会意字,反映了当时人们对会意字认识的变化,这也是受到西周以后会意字构形方式发生客观变化的影响。随着汉字形体向线条化、规整化发展,早期会意字以形体的直观性和组合的细微变化来构形的方式已经变得不合时宜,于是就利用意义关系来组合构成会意字,与早期会意字相比,这种类别可以说是一种抽象的会意字。如"日永"为"昶""日进"为"暹""山高"为"嵩""山石"为"岩""是少"为"尟""任几"为"凭"等,这类会意字都是利用构字单位的意义关系来组合构成的。在魏晋以后的俗体字中,这种意义组合类的会意字还不断出现,如"甦""籴""甭""孬""歪""尘""尖"等。

此外,还有一类字是在已有字的基础上通过省简变形等方式来构成的,如:可—叵、用—甩、家—宀(寂)、有—冇(《龙龛手镜》"厥"的俗体)、德—悳(恶)、得—㝵(礙)、子—孒/孑、兵—乒/乓、東—叀/東(徽州俗字),等等。从构形思维模式看,这些变形字也可以归到"会意"一类。

形声相益:汉字孳乳浸多的主要途径

　　形声是使用与意义相关的形符加上一个记录语音的声符来构成文字符号的方法。《说文解字·序》:"形声者,以事为名,取譬相成,江河是也。"段玉裁注:"以事为名,谓半义也;取譬相成,谓半声也。江河之字以水为名,譬其声如工可。"形声是汉字最重要、最富有生命力的结构方式,"形声相益"构造形声字,是汉字体系"孳乳浸多"走向成熟的主要途径。许慎认为汉字是从"依类象形"的"文"发展到"形声相益"的"字"的,这个看法合乎汉字发展的实际。春秋战国之时,新产生的字90％以上已是形声构形方式构造的;到汉代,形声字占《说文》所收字的比例超过80％,到宋代形声字占汉字总数达90％以上,形声字早在汉代就成为汉字体系构成的主体。

　　形声字的情况远比许慎所举的"江、河"之类的例子复杂。有人分析形声字形符和声符的数量,说形声字有"多形一声""多声一形"或"多声多形"的差别;有人从形符、声符的省简出发,指出形声字有"省形"和"省声"的不同;还有人认为形声字不仅形符表意,有的声符也"声中有义"。实际上,这些复杂的情况大都是形声字发生、发展过程中逐步积累起来的,如果我们能从形声字产生和发展的历史出发来揭示形声构成的内在关系,就能对各类形声字作出正确的分析。

一、加注形符构成的形声字

　　有一类形声字是在原来的字上加注表意的形符构成的。

这类加注形符构成的形声字,被加注的部分有的就是这个新形声字的本字,有的则是它的借字,加注形符成为形声字之后,原来的本字或借字被动地转换成新形声字的声符,早期的形声字有不少就是这么发展来的。如:

"申",甲骨文是一个表示闪电的象形字。古人以为雷电现象是天神所致,于是在"申"上加注形符"示",成为"神"这个"从示申声"的形声字。

"祖",甲骨文作"且",原来是男性祖先的象征,是一个象形字。到春秋金文才开始出现加注形符"示"的"祖",成为"从示且声"的形声字。

"禮",金文本来作"豊",是一个会意字,表示使用"玉"(珏)和"壴"(鼓)举行祭祀典礼。又在"豊"上加注形符"示",成为"从示豊声"的形声字。

"国",早期金文作或、或,表示用"弋"(代表武力)保卫的城郭("口"是方城的象形),是个会意字。西周金文又加注"邑"或"囗"作形符,写作或或国,成为"从囗"或"从邑","或声"的形声字。《说文》:"国,邦也,从囗从或。"作为会意字看,按照许慎对这类字处理的通例,也应作为形声字。

"往",甲骨文作坣,是一个"从止王声"的形声字,又加注形符"彳"或"辵",成为"坣"声的形声字。

"唯",甲骨文、金文假借"隹"作"唯",后加注"口"作形符,成为"从口隹声"的形声字,《说文》:"诺也,从口隹声。"

上举各例,"神、祖、禮、国、往"的本字有的原是象形字,有的是会意字,有的是形声字,加注形符成为形声字以后,本字就相应被动地转化成为声符部分。"唯"是在借字的基础上加形符,原借字则被动转化成为形声字的声符。假借加注形符构成形声字,在古汉字阶段曾经盛行过,产生了大量的注形形声字,如以下各字,都是在假借字基础上加注形符变成形声字的：井—妍、良—娘、多—奲、北—邶、登—鐙，这组字前一个曾是借字，后一个是加注形符为借字新造的专用形声字。

二、加注声符构成的形声字

这一类形声字是通过在本字或借字的基础上加注声符而构成的形声字。加注声符构成的形声字，一般是对已有的"旧字"所进行的改造。这类形声字的出现显然是形声构形方式相当发展之后，汉字表音趋势不断得到加强所带来的影响。如：

"鸡"，甲骨文早期作&，是"鸡"的象形字。晚期的甲骨文中出现了加注声符"奚"的&，成为一个以"奚"为声符的形声字，小篆作"雞"，"从隹奚声"，原象形字"鸡"由于注声而沦为形符，进而类化为常见的形符"隹"（或"鸟"），"鸡"这个形声字就定型了。

"耤"，甲骨文作&，象一个人手持耒耜耕作，西周金文作&，加&（昔）作声符，成为一个从"昔"声的形声字。《说文》："耤，帝耤千亩也，古者使民如借，故谓之耤。从耒昔声。"小篆"耤"已经类化为从"耒"，省略了持耒耜劳作的"人"形，这个形声字最终定型。

"宝"，甲骨文作&、&，本来是个会意字，表示室内有"贝"有"玉"这类珍宝。金文作&，加注声符&（缶），成为一个从"缶"声的形声字。金文"宝"字还有很多省写，最简的就是"从宀缶声"这种写法。《说文》："宝，珍也，从宀从王（玉）从贝，缶声。"这就是一般人所说的"一声多形"的形声字。按照"宝"字的历史发展，应该分为两个部分，原来的会意字加注声符后已被动地成为形符，就像上举各例加注形符后原来的字被动地转换成声符一样。实际上，所谓"多形""多声"字，历史地看基本上都是加注形符、声符后所产生的形声字。

"上"，本来是个指事字，战国金文有时加注"尚"声，成为具有"上、尚"两个声符的形声字。这类字被称作"两体皆声字"。

"哉"，金文常用借字"才"，战国文字中又加注"丝"声，出现"才、丝"两个声符组成的两体皆声字。

加注声符形成的形声字甲骨文中就已经出现，这种方法一直延续到战国时期加注声符的形声字有所增加，如："齿、鼻、翌、蛛、裘、铸、树、野"等，都是加注声符后形成的形声字；"盾、邻、福、兄、卯"等，都曾经有过加注声符的异体出现，但最后没有流传下来；像"辇、晨、霅、訇、鬴、虏、悟、萌、蹙"等，则都是加注声符形成的"两体皆声字"。

总体来看，通过加注声符构成的形声字数量较少，流传下来的也不多。这是因为声符的加入，只是使原来的部分被动地变为形符，由于文字使用的社会习惯性，被注声的部分本来就是一个曾经使用的字，具有形音义三个方面相对的独立性，因此，这类字有可能摆脱附加的声符又恢复成本来的面目。只有被注声部分经过改造的那些字，才最终成为固定的形声字流传下来。

三、同时选取形符和声符构成的形声字

这类形声字是形声结构方式发展到自觉阶段的标志，体现出形声构形方式的便捷性和优越性。加注形符或声符构成形声字，都要有原字（本字或借字）作为构形基础，需要经历一个漫长的发展过程。随着文字体系发展日趋成熟，一方面表意构形方式已经难以胜任为许多词语构造新字形，如语言中的虚词、表示抽象义的词语等；另一方面新字的构造必须便捷、快速地记录不断涌现的新增词汇。在已经形成的文

字符号系统中选取形符和声符,用形声同取的方式来构成新形声字就适应了这种要求。在甲骨文中不少记录专有名词的形声字多是形声同取类,如记录植物类的"柳、柏、杞、柄",记录水名的"河、涂、洛、洹",记录动物名的"驳、狼、狐、狈",等等。这些字,我们暂时尚找不到它们注形发展的痕迹,因此,只能认为是形声同取而构成的形声字。战国楚文字中,大量出现从"金"、从"糸"、从"竹"、从"示"的字,很可能都是用形声同取的方式构形的。

形声同取使形声构形方式从多少还保留一些原始面貌的注形或注声方式中彻底解放出来,从而为表意文字向记音表意发展开辟了广阔的道路,汉字也因此获得经久不衰的生命力。

除上述三类形声字之外,汉字系统中还有一些经过形体改造转换而形成的形声字,如:"何""馘""羞""戾""圊"等字,本来作 屮、㕯、㸽、螽、圀 等,声符"可、或、丑、仄、有"都是通过改造替换而来的;古文字中"甫"从"父"声、"良"从"亡"声、"冶"从"台"声、"朝"从"舟"声等,这些字的声符都是形体讹变后才形成的。形声字中的这些现象也应该引起注意。

形声字与象形、指事、会意等表意类型的字相比,有自己的显著特点。表意类文字主要依靠形体、形体的组合、变通关系,或符号的标指,努力将它们所代表的词义作出直观的或间接的表现。尽管在具体的表现方式上各有千秋,其本质特点都是力图在字形上最大限度地表现字义的信息。形声字只有形符与表意字有相同的一面,以形与义发生联系,它的声符则摆脱了以形表义的束缚,通过记录语音与语言发生直接的联系,这表明形声字既继承了汉字的表意性,又向表音方面有了新的飞跃。形声字的形符与声符相辅相成,不仅能完成记录语言的任务,而且可以保证汉字系统的有理性,合乎汉字构造和使用的心理习惯。因此,形声构形方式有着很大的优越性和较强的生命力,一旦产生,很快就成为汉字最主要的结构方式。形声成为汉字孳乳的主要手段,说明汉字的构造已经由较为原始的以形表意过渡到记音表意的发展阶段。

依声托事:汉字系统日趋完善的必然选择

　　假借是借助文字系统中的音同或音近字来记录语言中另一个音同或音近词的方法。世界上任何一种文字要成为记录某种语言的完善的符号系统,都需要通过对该语言语音的记录才能最终实现,如楔形文字、圣书字、玛雅文字等古老的文字都是如此。

　　汉字在日趋成熟的过程中,那些无法用以形表意方法来构造符号而又必须记录的词语,同样也只有利用假借之法才能解决,因此"本无其字,依声托事"的"假借"在汉字系统中是一种大量存在的现象。比如,甲骨文是目前能见到的最早的成系统的汉字,在甲骨文中假借字使用非常普遍。据观察,甲骨文常用字中90%以上是表音字;对甲骨文用字进行抽样分析,假借字已达到74%。[①] 甲骨文中的同音假借现象如此突出,表明虽然就符号构成而言一些甲骨文字原本是以形表意的,但是就实际功能而言这些字只作为记音符号来使用。

　　大量使用假借是甲骨文适应记录语言的必然选择,考察用字情况,可以看出,甲骨文有些词类使用假借字已经成为用字习惯,字词关系已相对凝固。比如:干支用字"甲、乙、丙、丁、戊、己、庚、辛、壬、癸、子、丑、寅、卯、辰、巳、午、未、申、酉、戌、亥"等,记录时间的"今、翌、秋、岁"等,记录方位的"东、南、西、北、左、右"等,记录数字的"万",记录代词的"我、

----

　　① 姚孝遂:《古文字研究工作的现状及展望》,《古文字研究》第一辑,中华书局,1979年;姚孝遂:《古汉字的形体结构及其发展阶段》,《古文字研究》第四辑,中华书局,1980年。

余、朕、汝、乃、兹、之"等,记录各类副词的"其、蔑、允、不、弗、勿、毋、非、咸、率、气、亦、乃、迺、卒"等,还有记录其他虚词的"叀、隹、抑、执、于、在、由、又"等,这些字记录的词都无法用以形表意的方式构造专用字形,但是要准确地记录语言又必须有文字符号来记载这些词语,于是,从已有的文字符号系统中借用音同或音近的符号来替代,就成为一种最为经济的因利乘便的手段。当这些借用的符号因长期使用与所记录词语建立起固定的联系之后,假借而来的符号便在文字符号系统中重新获得功能定位,成为某些词语的专用文字符号。正是从这个意义上看,虽然假借不产生新的文字符号,但通过假借重新定位了一些文字符号的职能,使得这些字在整个文字系统获得了"名正言顺"的地位。因此,说"假借是不造字的造字法",也是有一定道理的。

考察整个汉字系统,"依声托事"的假借大体上延续着殷商甲骨文就已存在的习惯,尽管形声成为主要构形方式之后,构造新字形变得非常便捷,但是并没有出现为早期假借字重新构造新字形的情况,上述甲骨文中的那些假借字绝大多数沿袭使用,人们也习焉不察,并不深究这些字形意之间是否有什么关联性。作为一种传统习惯,我们看到汉语中的指代词、副词、语气词等虚词以及一些抽象词语、连绵词语等,还较多的使用假借字,而不是另造新的形声字。

需要注意的是,我们这里所说的假借,指的是那些在汉字系统中获得职能定位的假借字。对文字使用过程中出现的同音假借(同音通假)要做具体分析,其中有些字是有本字的,假借字只是临时出现的用字现象,这种情况我们只将它作为用字问题看待;有些字虽在当时还没有专门的记录符号,但后来又出现了为它构造的新字,这种情况应看作汉字系统发展过程中的阶段性假借现象,同样值得我们重视。

篆隶楷体　今古殊形

——汉字的形体及其发展

　　汉字是一种充满美学意蕴的古典文字符号系统。数千年来，汉字的形体不断发展演变，从生动形象的早期字形演变成西周时期婉转规整的篆书，再发展成为秦汉的隶书和魏晋以后的楷书，不同历史阶段汉字的外部形态和总体风格特征呈现出丰富多彩、千姿百态的变化。

　　形体是文字学研究的主要问题之一，准确把握汉字形体特点及其古今发展演变就可以更好地认识汉字体系的特点和规律。汉字形体不仅总体上经历了发展演变，还体现为某一时期形成的地域性风格特征，比较典型的例子就是战国文字。个人书写风格特征，对汉字形体发展也会产生一定的影响，尤其是历史上某些有地位和影响力的人，在特殊的历史文化背景下，其书写风格特征也可能会影响到一时风尚,如李斯整理和书写的小篆,蔡邕书写的隶书石经,颜师古书写的楷书"字样"①等。汉字作为一门书法审美艺术,历代著名书法家往往自成一体,在传习其书法作品的过程中,书法家个人的书写风格和习惯,也会对汉字形体发展有所影响。②

汉字形体名目繁多,早在秦代就有"八体"(大篆、小篆、刻符、虫书、摹印、署书、殳书、隶书),汉代有"六书"(古文、奇字、篆书、佐书、缪篆、鸟虫书)。文字学研究的主要是汉字通常使用的形体(通行体)以及这种形体在自然演进过程中所发生的各种现象,那些书法艺术创作作品、特殊用途的美术字体和工艺性印刷字体之类,一般不作为汉字形体研究的对象,如秦"八体"之"刻符、虫书、摹印、署书、殳书"、宋代印刷体(宋体)和现代的"仿宋体、黑体"等。汉字形体名目繁多,下面我们略作介绍。

---

① 颜师古"贞观中刊正经籍,因录字体数纸,以示雠校楷书,当代共传,号为'颜氏字样'"。见颜元孙《干禄字书·序》。
② 书法家创造的一些独特写法,有时流行后或被吸收而成为汉字体系中的新异体。俗体字中的"草书楷化"就属于这类情况。

汉字常见的形体

汉字形体的命名往往因时代或着眼点的不同而出现各种差异,常见的有以下各种:

一、甲骨文

甲骨文主要指刻写在龟甲兽骨上的占卜记事文字以及非占卜用的兽骨、人骨或骨器上其他性质的文字。甲骨文是19世纪末叶(1899)才发现的古文字资料,主要是商代晚期(武丁至帝辛时期)的遗物,体现了那个时期刻写在甲骨上的汉字形体风格特征,因此,一般将甲骨文作为殷商文字的代表。① 由于刻写工具和材料的限制,甲骨文作为一个时期的字体有其特殊性和局限性,并不能完全体现当时通行形体的风格特征。如图:

二、金文

金文指铸刻在古代青铜器上的文字,又称"青铜器铭文""钟鼎文""吉金文字""彝器款识"等。一般说来,文字学研究使用金文这个概念主要指称商周青铜器上保存的文字,尤其是西周文字。商周金文大多数是在制作铜器时模铸而成,较好地保存了文字的原来形态和书写风格,是研究商周文字形体最为直接、可靠的材料。如图:

---

① 20 世纪 50 年代后西周甲骨文陆续有所发现,70 年代后期周原甲骨的重要发现,再现了西周早期周人使用文字的情况。但是,一般还是以甲骨文作为殷商文字的代表。

商代金文　　　　　　　　　西周金文

三、战国文字

　　战国文字指春秋晚期到战国时期通行的文字。按照区域性字体风格特征,战国文字可划分出"六国文字"和"秦系文字"。六国文字,主要流行于战国齐、楚、燕、三晋等东方六国地区,形体大多草率简省,各区系文字形成自身风格,地域特征明显;秦系文字,主要流行于西部秦国一带,与西周文字一脉相承,字体端庄规整。古文字学领域按照书写载体的材料不同,习惯上又将战国文字分为简帛文字、陶文、玺印文字、石刻文字、封泥文字、货币文字、瓦当文字等不同的名目。如图:

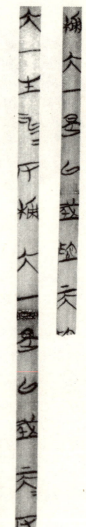

玺印　　　　货币　　　　陶文　　　　简文

四、古文

汉代用来泛指先秦古文字或专指战国东方六国使用的文字。"古文"泛指先秦古文字的，如许慎《说文解字·序》提到"郡国亦往往于山川得鼎彝，其铭即前代之古文"，这里的"古文"指的应该是金文；专指六国文字的，如孔子壁中书、《说文解字》《三体石经》《汗简》等收录和使用的"古文"等。"古文"中有一类构形奇异的叫"奇字"；汉代以后，历代字书和文献中保存的"古文"叫"传抄古文"；汉代孔安国用隶书转写的"古文"叫"隶定古文"。

五、籀文

籀文指《史籀篇》里使用的文字，又称"大篆"。传说《史籀篇》是由周宣王太史籀所编纂的"周时史官教学童书"。《史籀篇》汉代已部分散佚，后代失传。《说文解字·序》说："及宣王太史籀，著大篆十五篇，与古文或异。"段玉裁注："篆者，引书之谓。太史籀作者大篆……凡许书中云篆书者小篆也，云籀文者大篆也。"[①]段玉裁说："大篆之名，上别乎古文，下别乎小篆。"[②]"大篆"所指比较含糊，汉人所谓秦八体之一的"大篆"，大概是指当时所见不同于古文和小篆的秦系文字，也可以说就是籀文。《说文》今本尚保留籀文 220 余字，字体大抵相当于西周晚期或春秋早期的金文字体。王国维认为：周宣王太史籀之说，"盖出刘向父子，而班、许从之"，推测"太史籀书"当读作"太史读书"，太史籀本无其人。他还对籀文字体进行了分析，指出：籀文"作法大抵左右均一，稍涉

---

① 段玉裁：《说文解字注》十五卷上，上海古籍出版社，1981年，第 758 页。
② 同上。

繁复,象形、象事之意少,而规旋矩折之意多。推其体势,实上承石鼓文,下启秦刻石,与篆文极近"。"《史籀》篇文字,秦之文字,即周秦间西土之文字也。"其后他又明确提出"战国时秦用籀文六国用古文说"①。籀文相当于西周晚期的字体,春秋战国时期经过地处西部的秦国沿袭使用而得以传承,汉人称这个阶段的秦系文字为"大篆",故大体上西周晚期到秦之间的字体可以称之为籀文,也可以称之为"大篆"②。如图:

秦景公墓残石磬　　　　　石鼓文(局部)

六、小篆

小篆又称"秦篆""篆书",指在春秋战国时期秦系文字的基础上逐渐演进而来,秦统一后经过整理规范的一种字体,

① 王国维:《〈史籀篇疏证〉序》《战国时秦用籀文六国用古文说》,分别收入《观堂集林》卷第五、卷第七,第153—154页、第186—187页,河北教育出版社,2001年。
② 参阅陈昭容:《秦系文字研究》,台湾"中央研究院"历史语言研究所,2003年。

也是秦统一规范六国文字的标准字体。许慎《说文解字·序》认为:秦代的《仓颉篇》《爰历篇》和《博学篇》,"皆取《史籀》大篆,或颇省改,所谓小篆者也"。段玉裁注:"小篆,《艺文志》作秦篆。凡许书中云篆书者小篆也。"[1]秦书"八体"有"大篆""小篆"之名。小篆形体线条婉曲,粗细匀称,规整划一,疏密有致。这种形体风格可以追溯到战国秦文字。如图:

新郪虎符　　　　　　　　秦诏版(局部)

七、隶书

隶书是秦书"八体"之一,汉代又称"佐书""八分"。隶书指在秦系文字的基础上用方折的笔画改变篆书圆转的线条,使字形变得方正平直的一种字体。这种字体形成于战国晚期,如已发现的青川木牍、放马滩秦简、睡虎地秦简等秦文

---

① 段玉裁:《说文解字注》十五卷上,第758页。

字,再现了战国晚期到秦王政时期早期隶书的风格特征。早期隶书形体上带有较多篆书笔意,又称为"古隶"或"秦隶"。经秦汉之际的发展,西汉"隶书"成为通行字体,西汉中期以后逐渐成熟定型。定型成熟的隶书字体又称"八分"。《说文解字·序》说:"秦烧灭经书,涤除旧典,大发隶卒,兴役戍,官狱职务繁,初有隶书,以趋约易,而古文由此绝矣。"又说"及亡新居摄","时有六书","四曰佐书,即秦隶书"。段玉裁注:"左(引按:从小徐本)书,谓其法便捷,可以佐助篆所不逮。"①从新出战国秦文字资料来看,隶书孕育于战国秦系文字,通过简率草写,解散篆法,以趋约易,从而形成一种不同于沿袭两周文字发展而来的篆书字体。隶书形体扁平方正,逐步形成波挑等典型笔画。如图:

马王堆帛书(局部)　　　　　熹平石经(残石)

---

① 段玉裁:《说文解字注》十五卷上,第 761 页。

八、草书

草书指在隶书基础上形成的一种简便手写字体,因快速草率书写,常导致笔画连写和省略。这种字体约形成于西汉宣帝、元帝时代。草书又分为"章草"和"今草":"章草"形成于汉代,保留了较多隶书笔势和笔意,一字之中笔画相连而上下字不连;"今草"形成于东晋时期,由章草去其隶书笔势,一字笔画之间和上下字之间多顾盼连缀。如图:

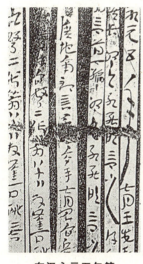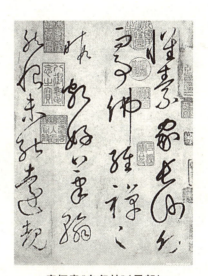

东汉永元五年简　　　　　唐怀素《自叙帖》(局部)

九、行书

行书指东汉晚期在具有草书笔意的新隶体基础上发展而来的一种手写字体。通常也指楷书因快速书写而导致某些笔画相连,但结构和笔画基本不失规范、较易辨识的一种字体。如图:

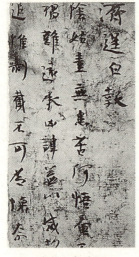

西晋文书残纸　　　　　　　　　王羲之《兰亭集序》(局部)

十、楷书

楷书又称"正书""真书"。楷书形成于汉魏之际,在新隶体的基础上改变汉隶波挑笔势,吸收早期行书横画的某些用笔方法,增加捺笔和硬钩等笔画,字形方正规整,书写风格端庄大方。楷书,原本泛指合乎"法式"的标准规范字体,唐宋以后才成为专称。[①] 钟繇(151—230)被奉为楷书书法家代表,其《宣示表》等帖是早期楷书的典范。见于北魏时期的碑刻和墓志所使用的楷书字体称为"魏碑体",其字体和笔法较为古拙,保留了新隶体的某些特点。如图:

----

① 王凤阳:《汉字学》,吉林文史出版社,1989年,第205—207页。

魏·张黑女墓志(局部)　　　　钟繇宣示表(局部)

　　以上介绍的这些形体,总体上代表了汉字自殷商以来的形体发展。汉字形体特征和风格的变化,主要是由于书写线条和笔画在不同时代的变化所致,而不同笔画和线条样式又与运用不同的书写方式、书写工具和材料密切相关。

汉字形体发展的三个阶段

汉字形体从古到今发生了巨大变化,这些变化都是渐进的、有迹可循的。由于形体发展变化的持续性,保证了汉字系统一脉相承,在维系和传承中华文化方面发挥了不可替代的作用。汉字形体在不同历史阶段又呈现出明显的阶段性发展特点,正是因为汉字形体的阶段性发展,才使得汉字能适应不同时代思想文化和语言生活的发展需要,始终保持鲜活的生命力。从殷商以来,汉字形体的发展大体上可以划分为古文字、近代文字和现代汉字三个阶段,不同阶段的汉字形体总体上表现出各自的风格特征。

一、古文字阶段

目前所说的古文字阶段,一般指殷商晚期到秦代。这个阶段既包括古文字学界划分出的甲骨文、金文、战国文字、秦系文字等研究分支所涉及的古文字形体,也涵盖了传统文字学中的古文、籀文、大篆和小篆。古文字阶段汉字形体的基本特征,是以曲线线条为书写元素而形成的,具有较强的形象性。

早期古文字的书写方式,是"画成其物,随体诘诎",用的是"描绘式"书写方法,形体线条是随客观物体轮廓样式描绘出来的,实物轮廓是文字符号形成的基础。因此,在殷商甲骨文、金文和西周早期金文中,出现了填实、肥笔的块状或粗线条,或使用勾勒办法表现物体的轮廓,文字形体富有鲜明的形象性特征。比如:"光"作 （金文） （甲骨文）、"牛"作

（金文）、"羊"作（金文）、"虎"作（甲骨文）、"象"作（金文）（甲骨文），这些字都生动形象地表现了客观对象的特点。

从总体上看，商代和西周早期金文中保留不少形象性较强的形体。殷商甲骨文已经是比较成熟的文字体系了，绝大多数甲骨文字已开始摆脱图绘的性质，呈线条化趋势，结构匀称，笔画劲直。这与书写工具有一定关系，因为是刀刻于甲骨之上，所以字形笔画瘦硬而刚劲有力。殷代金文，如"妇好"墓铜器群上的铭文，"司母戊"方鼎、"禾大"方鼎、小臣艅犀尊、我作父己簋、宰甫簋等器上的铭文，仍显得厚重古拙，凡是以客观物象为基础构成的象形字或偏旁，都有很强的象形意味。甲骨文中有些手书刻辞，也与殷金文相一致，有笔锋，有肥笔，即所谓"画中肥而首尾出锋"。[1]

西周早期金文，如利簋、天亡簋，何尊、保卣、令彝、大盂鼎等，文字形体与殷商金文基本一致。例如从"宀"的字均作，尖顶方角；"王"字下横作肥笔，像斧刃之形，甲骨文作（合26734），为虚勾写法；"女、人"等形，均作踞跪之状，而且足形明显；"隹"像短尾鸟形，鸟爪明晰可辨；"又、事、有"等字"又"作肥笔出锋；"天"字头部填实。这些形体特点从殷商金文沿续到康王以后。昭、穆王时代的铭文形态已开始呈现变化，形体趋向规整，线条更加匀称，行款也更加整齐，如长囟盉、召卣、班簋、静簋等。

西周中期，是汉字形体发展的过渡时期。西周中期金文形体符号化、规整化程度进一步增强，构成字形婉转均匀的曲线线条，是用"篆引式"方法书写的。前期肥笔现象也有保

---

[1] 唐兰：《古文字学导论》图一甲；郭沫若：《卜辞通纂》577、578、579等片刻辞，刻于兽头骨上，可能为软笔书写后刻成，而550片同版有粗细两种字体，形成鲜明的对比。

留,但大多数笔画已变为头尾匀称的线条,象形意味相对减弱,如"女、人"腿部逐渐趋直,"宀"两角变得圆转,"佳"之爪形也渐渐模糊,"天"上填实的头部或变为一横,等等。书写方式也逐步改变"随体诘诎"、以物绘形的特点,呈篆引笔势,字的整体轮廓多为方形。铭文通篇布局也追求整齐方正,象早期大盂鼎那种横竖成行的布局已较流行,如永盂、墙盘、曶鼎、即簋、免簋、大克鼎、小克鼎、大师虘簋等器,铭文布局都是如此。而且,还有一些标画长方格的器铭,这体现出对布局工整的着意追求。

西周晚期,粗肥笔基本消失,字体多呈长方形,点画完全线条化,用笔圆润,结体均匀。从史颂诸器、兮甲盘、毛公鼎、驹父盨盖、虢季子白盘等铜器铭文看,这一时期铭文整体布白讲究,字形清秀工整。

春秋以后,诸侯各国自铸礼器之风盛行,春秋前期铭文大致继承西周晚期的传统。春秋后期到战国时代,汉字形体变化迅速,地域特色逐步形成,草率之体,纤细流利之作日盛。同时美饰文字出现,如吴、越、楚、蔡等南方诸国,注重文字的装饰性,鸟虫书体流行,而中山王器和齐器等铭文,则多以点画装饰。

战国文字使用范围日益扩大,竹简帛书成为主要的书写材料,字形草率诡变,地域分歧愈加明显,齐、楚、三晋、燕等国文字各具不同的特色。战国文字逐步改变了西周文字婉转连绵的曲线线条,出现了以短促便捷的直线线条组合来书写的形体。不过,这种"线条组合"也可以说是"篆引式"书写的简率快捷化,总体上,战国时期还没有完全摆脱古文字阶段以曲线线条为主要书写单位的格局。

秦国文字则更多地传承了西周以来的风格特点,并且演变成结体颀长,笔画圆转流畅的小篆。这种变化可上溯到春秋时代的秦公钟、镈（秦武公时代）、秦公簋（秦景公时代）和石鼓文，到战国时代的商鞅方升、秦封宗邑瓦书等器，秦篆的书写形态基本上已经形成。由此看来，旧说丞相李斯作小篆是不可靠的，李斯很可能只是秦统一后领导系统整理秦国文字，并用秦文字规范统一全国文字的代表。小篆的定型和推广是古文字长期发展的自然结果，小篆也是古文字形体发展的终结形态。

二、近代文字阶段

近代文字阶段，一般也称作隶楷阶段，指汉字发展到隶书和楷书阶段。隶书是汉代的通行字体，楷书魏晋以后逐步成熟并一直沿用到当代。隶书是汉字古今发展阶段的分水岭，与古文字阶段相对应，也有用"今文字"来指称这个时期的。汉字形体发展阶段的划分是比较困难的，一种新形体的产生要经历一个较长时间的孕育发展过程才获得主流地位，一种已经定型的形体也是逐步让位于新形体的，小篆和隶书的发展就经历了这样一个过程。

以隶书为起点的近代文字形体，完全摆脱了古文字形象性特征，古文字婉转匀称的曲线线条逐步演变成"横、竖、点、撇、捺"等近代文字基本笔画样式，由早期"描绘式"书写方法脱胎而来的"篆引法"也就相应地发展成为"笔划组合式"的书写方法。由隶书到楷书，只是这些笔画样式的进一步调整和翻新，以基本"笔画组合"为特征的近代文字书写方法一直延续至今。

书写方法的发展变化，体现出来的就是汉字形体风格的发展变化。隶书形体风格特征的发生，是由于手写简帛书的自由迅捷，加之毛笔轻重缓急的变化所带来的必然结果。隶书虽然是汉代的通行体，但是它的源头可以追溯到战国秦文字。就目前材料看，出土于四川的秦武王二年（公元前309年）所书的“青川木牍”，以及跨越秦统一前后的睡虎地秦简上的文字，都已经是隶书了，表明战国后期隶书作为一种通用字体已在秦统治的范围内流行。

经历战国秦汉时期隶变之后，逐步形成的隶书形体特征改变了曲线线条样式，出现了“蚕头燕尾”等笔画样式和平直波挑等隶书基本笔画。如睡虎地秦简以下各字：（《南郡守腾文书》9）（《秦律杂抄》15）（《秦律杂抄》27），已经形成典型的隶书横画，这类具有波势的长横在秦简中已较为常见。

成熟隶书“撇”和“捺”的写法是重按提出，笔画肥厚，形与“帚眉”。秦简中“撇”笔虽然不如成熟隶书重笔挑出那么明显，但是笔画外扬，与“捺”相呼应，已初具成熟隶书两相分背之势，如：（《秦律十八种》12）（《秦律十八种》27）（《秦律十八种》102）（《效律》60）等字中的“撇”。秦简“捺”以及近于“捺”的右行斜笔，也都已具备隶书“捺”的典型特征。如《秦律十八种》以下各字：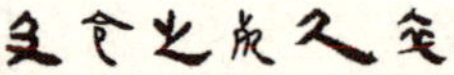，这类“捺”或近似的笔画，在成熟隶书中得到进一步的巩固，成为隶书特征性笔画之一。

隶书的形态风格与篆书在总体特征上形成明显的分别：篆书是由匀称的曲线篆引而成，圆转回环，结体谨严；隶书则以具有波挑和分背之势的笔画为主组成，解散篆法，结体疏放。将小篆与青川木牍上的文字作一对比，可以看出，即便是早期的隶书，这种分别也体现得很明显：

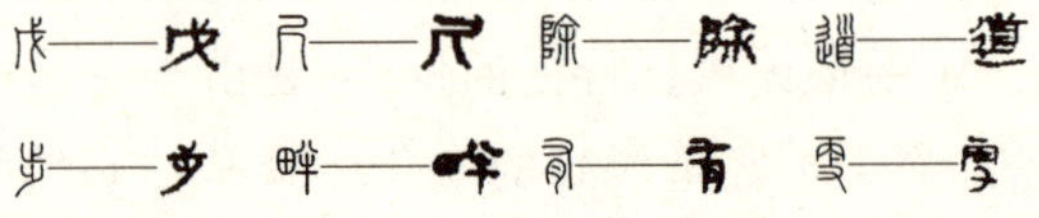

前人用篆书的“平直方正”化来说明隶变的特征，依据的

主要是秦代诏版权量上的文字,而这些文字基本上还属于篆书系统,隶变的特征并不明显。从秦汉简帛等早期隶书来看,隶变还正在进行之中,"平直方正"还不是当时最有代表性的形体特征,"八分"体这种成熟的隶书大约至迟在西汉昭帝(公元前 86 年—公元前 74 年)、宣帝(公元前 73 年—公元前 49 年)之际已完全形成[1],这时的隶书才走上了正体化道路。

东汉中期前后,由于书写的简便导致隶书形体风格出现某些新的变化,隶书典型的波挑等笔势,被简率地拉直,撇捺等笔划收笔时顺势拖出,形成笔锋外出的尖撇,开始出现楷书的笔画形态。在此基础上,经汉末到魏晋进一步发展,逐步将隶书形体变得更加简省,波挑等隶书笔势为平直笔画所取代,加上运笔方向、轻重的相应变化,逐步形成了"点、横、竖、撇、捺、挑、折、曲、钩"等楷书基本笔画样式[2],楷书形体经魏晋时期的发展而渐趋定型。隋唐以后,科举制度的建立,纸作为书写材料的普遍应用,唐宋印刷术的不断发展改进,进一步促进了汉字形体的规范和稳定,因此,楷书形成之后汉字形体就再也没有发生大的变化了。

三、现代汉字阶段

现代汉字指 20 世纪初叶新文化运动以来到当代记录现代汉语的通行用字。[3] 如果从字体形态特征来看,这个阶段使用的依然是楷书字体,应该隶属于近代文字(或隶楷)阶段,尚不足以作为汉字形体的一个发展阶段。尽管如此,由

---

[1]　裘锡圭:《文字学概要》(修订本),第 86 页。

[2]　楷书笔画的分类概括,参阅蒋善国:《汉字学》,上海教育出版社,1987 年,第212—214 页。

[3]　参看苏培成:《现代汉字学纲要》,北京大学出版社,1994 年,第 19—22 页。

于 1915 年新文化运动的兴起，使"文言文"退出历史舞台，"白话文"地位得到确立，汉民族共同语——普通话最后形成，现代汉字作为现代汉语书写符号系统，确实相比于近代汉字又发生了阶段性变化。这种变化主要表现在以下方面：

一是汉字的职能因记录对象的变化而发生相应的变化。汉字在古文字阶段主要是记录上古汉语，古汉语以单音节词为主，一个汉字记录的就是一个词，字与词是完全的对应关系。发展到近代文字阶段之后，虽然汉字形体上与古文字有了巨大区别，但由于汉语书面语的主流脱离了实际语言的发展，汉字记录的依然是模仿、传承上古汉语的文言文，近代汉字的主要职能和特点与古文字阶段并没有根本的不同。白话文地位确立以后，汉语书面语的主流成为普通话，普通话与汉语实际口语相一致，双音节词语成为汉语词汇的主体，因此，现代汉字所记录的对象也由记词为主变为以记录词素为主。文字职能的变化对文字体系发展阶段的划分自然是一个重要依据。

二是对汉字的功能和历史地位的认识发生了变化。在古人看来，文字作为"经艺之本，王政之始"，是"前人所以垂后，后人所以识古"的凭借，"本立而道生"，文字有着至高无上的地位。随着汉代儒家学说经典化的完成和隋唐以后长期推行的科举制度，汉字的神圣地位不断地被强化，而且这种地位从来就没有被怀疑和动摇过。晚清以来，中国遭到西方列强的侵略和瓜分，西方的思想文化、科技和教育也开始影响这个长期闭关自守的古老帝国。一些忧国忧民之士受当时情势影响，提出"师夷制夷"等主张，呼吁开展教育制度和语文的革新，开展了文字改革的各种尝试，如卢戆章的"切音新字"（1892）、王照的"官话字母"（1900）、劳乃宣的"合声简字"(1905)等。在新文化运动"文学革命"的影响下,掀起了一场关于汉字存废和前途问题的大辩论,"汉字革命"是文学革命的中心议题之一,"废除汉字"、实行"拼音文字"成为新文化运动的主流声音。新文化运动对汉字的否定和批判,从根本上动摇了长期以来它所具有的神圣地位,还原了它作为记录语言符号的基本职能,汉字的应用和普及得到了前所未有的重视。

　　三是汉字拼音化尝试的失败与《汉语拼音方案》的诞生。在新文化运动发起者的阵营里,大多数人都赞成废弃汉字而改用拼音文字,曾出现了"国语罗马字""拉丁化新文字"等颇有影响的拼音文字改革方案。但是,以废除汉字为目标的拼音文字改革并没有取得实质性进展,最后这些尝试都以失败告终。1958年颁布的《汉语拼音方案》"作为帮助学习汉字和推广普通话的工具"以及"中文罗马字母拼写法"的国际标准,这可以说是新中国汉字改革的一个重要成果,对现代汉字的教学、国际推广和应用产生了重要影响。

　　四是研制并推行《汉字简化方案》,简化字成为法定通用文字。汉字简化贯穿于汉字形体历史发展的全过程,早在甲骨文中就出现了许多简化现象。近代汉字发展成熟之后,对汉字的规范不断加强,汉字形体发展趋向稳定。但是,汉字的简化并没有完全停滞,在日常使用领域出现的许多俗体字其实就是简化字。对于俗字中的简体,历代都采取规范和抑制的语文政策,只是在坊间刻书和民间日用场所简体俗字才有自己的一席之地。新文化运动中,作为汉字改革的过渡方案,一些学者提出了"减省现行汉字的笔画"、推行简体字的主张。1935年8月,民国政府教育部公布了《第一批简体字表》。新中国继续推进汉字简化工作,1956年国务院公布了《汉字简化方案》,1964年公布了《简化字总表》。简化字既是对新文化运动整理研制"简体字"这份珍贵遗产的继承,更是新中国语言文字改革的一项重大成就。作为国家法定通用文字的推行,简化字深刻影响了社会语言文字生活、教育普及、文化传承、科技发展和国际交流等各个方面。

新文化运动以来的这些变化,使现代汉字系统相应出现了许多与近代汉字不同的新的变化和情况。首先,汉字体系出现了"繁简二元并存"使用的局面。一方面简化汉字作为通用语言文字,在中国大陆和世界各地广泛通行,另一方面繁体字在港澳台等地区依然使用,大陆在古籍整理出版和其他一些领域也同样可以用繁体。这种"繁简二元并存"的局面,不仅使汉字系统内部出现分歧,也影响到国家语文政策和文化教育等不同方面。其次,现代汉字职能的调整对汉字系统内部关系、汉字与汉语关系都产生一定的影响,现代汉字的用字习惯、形音关系、形义关系等因而也发生许多新的变化。第三,在信息化背景下,现代汉字定量、定形、定音、定序和分级分类等各类规范标准的研制不断得到加强,规范化和标准化必然深刻影响现代汉字系统的发展。

作为历史汉字的延续和发展,上述种种情况表明,现代汉字阶段的划分是必要的。目前,现代汉字还正处于发展的初期阶段,各种关于汉字当前和未来的意见还远没有达成共识,现代汉字如何面对它深邃而悠久的历史,又如何在信息化、全球化的浪潮中把握机遇走向未来,让关心汉字前途和命运的国人充满着担心和疑虑,也充满着憧憬和希望!

汉字形体发展的主要趋势

汉字形体发展的不同历史阶段出现了各种各样的现象，这些现象有些是汉字形体发展规律的反映，有些则有可能是地域、时代和个人等因素造成的。了解古今文字发展的基本趋势及其呈现的各种现象，有助于更好地认识汉字体系，不断提高汉字运用的水平。

一、省繁求简

由于汉字形体来源于客观物象的摹写，形象性是早期形体的突出特点，这个特点也使得汉字形体显得繁难复杂，因此，从古文字阶段开始，汉字就一直追求形体的减省和书写的便捷，省繁求简就成为汉字形体发展的一个基本趋势。汉字形体的省减采用了多种方法：

一是截取最有特征的部分，省略其他繁复的部分，从而达到省简的目的。如"车"字，金文是一辆车的完整象形，写作🚗或🚗，形象逼真，表现出车的主要部分。为了书写简便，西周就出现省简形体，只截取最典型的部分车轮作为"车"代表，写作🚗，现在简化字"车"，是个草书楷化字，更加简单。"召"商代晚期作🚗，又写作🚗，"尔"西周金文作🚗，到战国文字写作"尔"，都是截取原字的一部分来实现形体省简的。在现代简化字中，如"業、厰、廣、聲、鑿"分别省写作"业、厂、广、声、凿"，也是用这种方法形成的新简化字。

二是省略重复的偏旁来实现形体的简化。如"则"本来作🚗，从刀从二鼎，省去重复部分作🚗，"鼎"后来又讹混成

"贝",就有了"則",今天简化作"则"。"渔"的最繁形体作❖,省作 ❖;"曹"原来作❖,省作❖,省去的都是重复的部分。"枣"本来从二"朿","尧"本来上部是三个"土","集"是三个"隹",重复的部分后来都被省减了,"枣"则用两点代替省去的部分。

三是以简单的字形或符号替代繁复的字形。有些字利用可通用的形符或声符,以笔画少的偏旁更换笔画繁的偏旁,如:"耤"本作❖,小篆将人持耒耕作替换成从"耒",作❖;"蛛"本作❖,小篆改从"虫",作❖;"城"原来写作❖,后来省作❖,将城郭的象形替换成简单的"土"。现代简化字中的"进、让、远、拥"等一批字,都是用形体简单的声符替代繁复的同音声符。还有一些字因结构方式不同使得字形有繁简差异,最后选用字形简省的替代字形繁复的,如以"泪"替代"淚"、以"岩"替代"巖"、以"体"替代"體"等。利用简单的符号来替代繁复的偏旁,也造成一部分简化字,如用"又"这个符号来代替不同的偏旁,形成了下面这些字:"赵(趙)、艰(艱)、邓(鄧)、欢(歡)、劝(勸)、权(權)、鸡(鷄)、对(對)、仅(僅)、戏(戲)",等等。

四是利用同字内部或异字之间的笔画或偏旁的相同或相近处,相互依借,以求得书写的简便。这种方法是古文字省简的一种特殊手段。如"疒"本来作❖、❖,后来表示床体和人身部分互借作 ❖、❖;"無"作❖,上部又借用笔画作❖。除了借笔画或偏旁而达到省减的目的外,古文字中的"合书"也是一种省减方式,这种方式是通过两字互借偏旁或笔画,再加上重文符号标示,以求得书写的简便。如"公子"作❖、"大夫"作❖、"邯郸"作❖、"寡人"作❖,等等。

五是利用草书楷化来达到书写的省简。草书在书写过程中因笔画连写,把一些结构复杂的字轮廓化,将这种草写字形按书写轮廓变成楷书形体以替代繁体,就是草书楷化。如"为"与"爲"、"书"与"書"、"头"与"頭"、"办"与"辦"、"尽"与"盡"、"马"与"馬"等等,前一个简化形体都是后一个字的草书楷化。

二、增益别形

随着汉字形体日趋符号化、孳乳分化和新字的大量产生,汉字字形符号的数量快速增加,这样,字形符号总量的控制和符号之间的区别就成为一个重要问题。汉字形体的发展一方面总体趋向省简便捷,另一方面形体的区别性特征也变得越来越明显,既简便实用又清晰易辨是汉字形体发展所遵循的双重原则。"增益别形"就是保证字形沿着既便利又清晰的方向发展的重要手段之一。增益别形采取的主要方法有两种:

一是通过增益偏旁来区分不同的字。这种方法是利用不同偏旁的标指,或相同偏旁的组合变化,使形音义相近或字形相近的字互相区别。古今汉字发展过程中,一个字常孳乳出一个乃至多个新字,最常用的办法就是增益形旁。通过字义引申造成的分化字,大多数采取增益形旁的办法造出相应的新字。如"冓"是"遘"的初文,本义为"交遇",引申义有"交合、遇见、和解"等,于是通过增益偏旁"女、见、言",派生出"媾、觏、講"等字,将这些义项单独分立出,每个义项用一个字形表示,这个字形一般就是在原字的基础上附加形符构成的。由于同音假借也会造成一字多义的现象,在字形上无法使假借义项之间以及它与本义、引申义区分开来,也是采用增益偏旁的办法构成新字,以便相互区别。如"絲"曾借为"欒""孌""蠻""鑾",多种借义包含在同一字形中,后来通过增益形符构成一组不同的新字。

　　有一些字构形部件基本相同，它们之间的区分，则依靠偏旁位置的相对变化。"竝"和"替"就是一组很典型的例子，这两个字的差别本来很细微，二"立"并作竝，就是"竝"，二"立"一上一偏下作竝就是"替"。《说文》："替，废，一偏下也。"讲的就是"替"构形上的这一特点。过去对"一偏下"难以理解，从古文字看，这个字构形很清楚，"立"一上一下表示"更替"的意思。到篆文"立"讹成"夫"，位置并齐，再增加"曰"，成为区分特征明显的"替"。

　　二是通过笔画别形。这种方法是利用笔画的有无、笔画形态的差别来构成形近字的区分。如利用笔画相对长短来区分的："三"与"气"，甲骨文"三"三横长短差别不多，而"气"中间一横较短，分别作三和三，两字的区别特征在中间一画的长短，后来"气"逐渐变作气，小篆进而作气，区别性特征越来越明显。"十"是现代汉字的通行写法，而甲骨文"十、十、十"都不是"十"，横长竖短的是"七"，横短竖长的是"甲"，横长竖上长下短的是"七十"合文，而"十"则作丨，西周金文"十"由丨变为十，再变作十；"七"秦小篆作七，中竖画作曲笔，隶书作七，写法得以定型；"甲"金文仍作十、十，或写作甲骨文"上甲"之田、田，秦篆作甲，秦简作甲，成为定型写法。"十、七、甲"三字经过笔画的逐步调整或增益，使它们彼此区分得更加明晰。"上、下"同由两横构成，而上横短下横长则为"上"，作二、二，上横长下横短则为"下"作二、二。"二"也是两横，但差不多长。到春秋蔡侯盘"上"作上，"下"作下，通过增益和调整笔画，使得"上、下、二"三字之间的区别也更趋明显。"肉"与"月"形体本来分别比较明显，但春秋以后逐渐讹变相混，在战国文字中，出现将"月"（夕）的残缺处加一笔，在"肉"的右肩上加一笔，就形成了二字的区分标志。

三、趋同类化

在汉字形体发展过程中,由于字与字经常连用而相互影响,出现增加或讹变偏旁(部件)的字形类化现象,如:"凤凰"的"凰"本来作"皇",因受"凤"所从"凡"声的影响,"凰"也类化从"凡";"玁狁"的"狁"本作"允",后来类化作"狁";"恍忽"作"恍惚""穹隆"作"穹窿"等,后一字都受前一字影响而发生趋同类化。

某些字不同的偏旁或部件同步发生类化,从而实现不同偏旁或部件的重新归类,这种类化改变了原字构成理据,减少了汉字符号的种类,如楷书"為、馬、鳥、魚、燕、焦、然、無"各字都有四个点,但来源各不相同,其中"為、馬、鳥"四点本是"象、馬、鳥"的足和尾,"魚、燕"四点本是尾部,"焦、然"四点本是"火","無"下四点本是由"林"变来(𣝗—𣡥—𣡌—𣝗—無—無),本来含义有别的部分通过类化归并,都写成了同一样式。类似的例子,如"春、秦、泰、奏、奉、舂"等字的上部所从的"夆"以及"包、勺、句、匐、匐"等字所从的"勹",在古文字阶段本来都有明显差别,表达含义也不相同,后来通过类化,归并为同一写法。

四、变异讹形

在汉字形体发展过程中,相同的偏旁或部件向不同的方向发展演变,从而发展成为不同的书写样式,变异后的偏旁或部件也相应调整到不同的类别。如"江、泰、益、浆"这几个字都从"水",在古文字阶段形体上并无多少差别,后来因"水"在各字中的位置不同而发生形式上的变异,其中"泰"的下部分和"益"的上部分"水"的变异写法,与"江""浆"所从的"水"就不一样。再如"掌、奉、持"等字都从"手","怒、快、慕"

等字都从"心","焚、光、赤、热、幽、寮、票、尉"等字都从"火",这些字原来偏旁相同,写法差别不大,后来都变异成差别明显的书写样式。如果不追溯它们的发展演变过程,就难以明了那些形式差别明显的部分原来却是同一偏旁。

汉字形体发展过程中,有些字的偏旁因形体相近似而彼此发生讹混,进而习非成是改变了原字的形体样式并发展成为新的字形。如"贞、员、则"三字都从"贝",从甲骨文和金文看,这个"贝"原来作"鼎",只是由于形体演变过程中"鼎"因书写简率,最后讹变成与"贝"相同的形式,这几个字也就变成从"贝"了。"奔"从"卉"也是形体讹变的结果,古文字中原是三个"止",表示"奔走",后来"止"因形近而变成"屮","奔"才变成从"卉"。在汉字发展的漫长历程中,形体讹变现象并不在少数,有些讹变的形体在一定阶段成为通行字,后来又进一步发生相应的变化调整,如:在古文字阶段,"良、丧"讹从"亡"声,"甫"讹从"父"声,"两"讹从"羊"声等,隶变之后这些讹变而来的声符都发生了变异,或写成新的样式(如"良、丧、甫"),或退回到未曾讹变的形体(如"两")。

五、规范划一

文字的一般属性要求,任何一种文字符号必须规范划一,否则就无法传于异时,流于异地,充当语言交流的物质媒介。汉字作为世界上唯一的古典文字体系,其形体总体上一脉相承、长期保持着相对稳定。不过,如果从发展变化的角度看,汉字古今发展过程中,无论是处于发展完善的古文字阶段,还是经历古今变革之后,汉字形体的演变一直都在持续地发生。虽然汉字形体的发展总是趋向规范划一,但"规范划一"是一个动态发展的概念,汉字体系总是在形体不"规范划一"中逐步趋向"划一",然后又通过突破已有的"规范"

逐步变得不"划一",由此适应着文字的不断发展。

汉字的形体"规范划一"包括两个方面:一是字形的划一,消灭同一字的不同写法;二是结构的划一,淘汰因结构的差异而造成的歧异形体。古文字阶段,发展中的汉字形体不划一的现象极为普遍。如甲骨文"占"字,出现频率高,同文异体也甚多,仅《甲骨文编》所录异体就达九十多种①,而"翌"的异体则达到一百七十余种②。修订本《金文编》正编字头2420个,重文却达到19357个,是字头的8倍多,平均每个字就有8个以上的异文。③ 而货币文字中,仅一个"阳"就有三百六十余种写法,加上省作"昜",讹作"易"的,达500种之多。④《侯马盟书》为同一时代和同一地域的作品,"复"就有异形五十几种,"敢"有异形九十余种。⑤ 这些表明古文字形体不规范划一的普遍性。古文字形体不划一的现象主要表现为:字形正反、笔画多少、填实与勾勒无别以及偏旁位置变动无常、同功能偏旁通用、同偏旁数量多少无别和同字异构并存等各种情况。上述各种现象,反映出古汉字形体变化复杂,分歧较大。历史地看,它们均是汉字不定型、不完善的表现,是发展阶段的汉字所难以避免的现象。

但是,文字作为社会交际的工具,分歧太大,不便利用,势必影响其功能的充分发挥,因此,趋向规范划一是所有文字符号发展的共同规律。古汉字形体经过异形并存、淘汰和选择,最后达到规范划一,这个过程是漫长的,直到秦代才初

① 《甲骨文编》卷三·三十至三十一,中华书局,1965年。

② 《甲骨文编》卷四·五"羽"下一部分到卷四·七"翙"之下,中华书局,1965年。

③ 中华书局,1985年影印本。

④ 商承祚:《先秦货币文编》,书目文献出版社,1983年,第136—139、第141—142页、第190—220页。

⑤ 参看《侯马盟书》字表部分"复""敢"字,文物出版社,1976年。

步完成。当然,古汉字形体分歧也是相对的,在一个小的范围内,它还是比较规整划一的。尤其是西周中期以后的金文,字形规整划一的趋向十分明显,当时很可能有过文字整理的工作。春秋以降,汉字发展迅速,使用范围日广,尤其是六国纷争,更加剧了汉字的异形分歧。所以,秦统一之后,文字的规范划一,就成为当务之急,与车同轨和统一度量衡放在同等重要的地位。① 秦施行"书同文字"是通过国家行政手段促进文字的规范划一。秦代以小篆为依据规范六国文字异形,像"阳""复""造"等字,在秦篆中字形都趋向定型划一,并最终确立其正体写法。从秦权量诏版刻石文字材料看,小篆字形书写方向定型,笔画多少和偏旁位置确定,基本上结束了六国异形分歧的局面,小篆作为秦官方文字实现了规范划一。在近代文字阶段,隶变和楷书形成过程中也都有过"是非无正""讹替滋生"的情况发生,由于行政措施的推行和各种字书所发挥的典范作用,汉字体系始终能做到规范划一,既保持总体的稳定性,也适应需求而有所发展。

---

① 《史记·秦始皇本纪》,中华书局,1982年,第239页。

唯殷先人　有册有典

——殷商时代的甲骨文

　　《尚书》是传世的我国最古老的文献,在该书《多士》篇中有这样的记载:"唯殷先人,有册有典,殷革夏命。"这是说商代的先人们就有了典册书籍了,但是过去的人们并不知道商代的文字和典册是什么样子。到19世纪末叶,在河南安阳商代晚期都城遗址发现了大批甲骨文,那些掩埋地下三千多年的殷商文字得以重现天日,人们才有机会见到最早的成体系的商代文字。

甲骨文的发现、整理和研究

　　一般所说的甲骨文,主要指的是河南安阳小屯殷墟出土的龟甲和兽骨(牛骨)上所刻的文字,又称"卜辞""殷契""甲骨刻辞""龟版文""龟甲文字""龟甲兽骨文字"等。甲骨文的发现,是中国学术史上的一件大事,对中国历史文化和文字学研究产生了极其巨大的影响。

　　甲骨文最早是 1899 年由王懿荣在北京发现的。王懿荣从古董商人那儿最早见到甲骨,认定是重要的古物,于是花大价钱购买,先后搜集甲骨 1500 余片。光绪二十六年(1900)八国联军攻入北京,当时担任京师团练大臣的王懿荣御敌不胜,投井殉难。王懿荣死后,他搜集的甲骨大部分被刘鹗收藏。刘鹗收藏的甲骨共有五千多片,1903 年,他选录了 1058 片拓片,编成《铁云藏龟》一书,这是第一次正式公布的甲骨文资料。1904 年,著名学者孙诒让根据《铁云藏龟》材料,撰写出第一部考释甲骨文的著作《契文举例》。这两部书问世后,甲骨文的收集很快形成一个高潮,也刺激甲骨文发现地的盗掘活动。那个时期,收集、整理和研究甲骨文用功最勤、贡献最大的是罗振玉。罗振玉是著名的金石学家,对金文收集和研究有很大的成就。1902 年在刘鹗家中初次见到甲骨后,罗氏就设法访寻甲骨出土的确切地点,开始大量搜集甲骨。他将收集的大量甲骨进行整理刊布,先后编纂出版了《殷墟书契》(前编)、《殷墟书契菁华》《殷墟书契后编》《殷墟书契续编》等书。

随着甲骨发现数量的增多,甲骨文研究成为当时的热门学问,出现了一批著名的研究学者和成果。罗振玉不仅对收集、刊布甲骨有很大贡献,还撰有《殷商贞卜文字考》《殷墟书契考释》等研究甲骨文字的著作。王国维在利用甲骨文材料研究殷商历史方面作出了开创性贡献,所著《殷卜辞中所见先公先王考》和《殷卜辞中所见先公先王续考》,在学术界产生了轰动。为了深入认识殷墟都城遗址情况并获得更多的甲骨文资料,从 1928 年到 1937 年,中央研究院历史语言研究所对殷墟组织了大规模的科学考古发掘工作。在董作宾的主持下 10 年先后进行了 15 次发掘,有 12 次获得带字甲骨,共 24900 余片。经过科学考古发掘的这些甲骨,都有明确的地层和坑位记载,其学术价值与早期零散收集所得是不可同日而语的。董作宾利用考古新发现的完整龟版和大量材料研究甲骨文例,提出甲骨文的断代问题,发表了影响深远的《甲骨文断代研究例》。在此期间,寓居日本的郭沫若也开始了系统的甲骨文研究,他撰写了一部用马克思主义理论和方法指导的划时代的作品《中国古代社会研究》,同时还撰写了《甲骨文字研究》《卜辞通纂》《殷契萃编》等著作,在文字考释和殷商历史研究方面,这些著作见解深邃,影响很大。经过科学考古发掘和这些学者的努力,甲骨学成为当时的一门显学,吸引了许多才华横溢的学者。对甲骨文研究作出卓越贡献的罗振玉(号雪堂)、王国维(号观堂)、董作宾(号彦堂)、郭沫若(号鼎堂)被学者们誉为"甲骨四堂"。

1950年起,殷墟的发掘、研究和保护基地逐步有计划地建立起来了。1958年中国科学院考古研究所在安阳设立工作队,次年设立工作站。1973年,考古所对小屯南地进行发掘,新发现甲骨5300多片,其中带字甲骨4589片。① 1991年,在花园庄东地发现一个甲骨窖藏坑,出土甲骨1583片,其中大版和完整的龟甲达755版。② 此外,在殷墟小屯村中村南也陆续发现了一些甲骨。③

花园庄东地甲骨窖藏

① 中国社会科学院考古所编:《小屯南地甲骨》,中华书局,1980年。
② 中国社会科学院考古研究所编:《殷墟花园庄东地甲骨》,云南人民出版社,2003年。
③ 中国社会科学院考古所编:《殷墟小屯村中村南甲骨》,云南人民出版社,2012年。

20 世纪 40 年代就有学者提出西周甲骨文存在的可能，50 年代以来西周甲骨有多次零星的发现。1977 年和 1979 年，在陕西岐山凤雏村周原遗址发掘出甲骨 17275 片，其中卜甲 16371 片，卜骨 678 片，有字甲骨 292 片。周原甲骨的发现立即引起了学术界的高度重视，许多学者参与了研究，取得了可喜的成绩。①

从 19 世纪末叶到目前为止，零散收集和考古发现的甲骨文数量，根据不同的统计少的约 10 万余片，多的有 15 万片左右。② 甲骨收藏于海内外公私诸家，如英、法、德、比利时、瑞典、瑞士、美国、加拿大、俄罗斯、日本、韩国等国都收藏有甲骨。为了充分利用已发现的甲骨文资料，郭沫若主编、胡厚宣任总编辑编纂出版了《甲骨文合集》，彭邦炯等又编纂出版《甲骨文合集补编》，两书共收集国内外已公布的甲骨65000 多片。③

---

① 陈全方：《陕西岐山凤雏村西周甲骨文概论》，《四川大学学报丛刊》第 10 辑《古文字研究论文集》；徐锡台：《周原甲骨文综述》，三秦出版社，1987 年；王宇信：《西周甲骨探论》，中国社会科学出版社，1984 年；陈全方等：《西周甲文注》，学林出版社，2003 年。

② 王宇信、杨升南主编：《甲骨学一百年》，社会科学文献出版社，1999 年，第52—55 页。

③ 郭沫若主编：《甲骨文合集》，中华书局，1978—1982 年；彭邦炯等：《甲骨文合集补编》，语文出版社，1999 年。

占卜与卜辞

　　甲骨文是殷商时代占卜活动的记录。利用龟甲进行占卜活动，在我国新石器时代就已经普遍存在了。我们要进一步了解甲骨文，就需要了解占卜活动、卜辞体例和内容等情况。由于时代久远，今人对这些方面所知还很有限，下面根据学者的研究介绍一些初步的知识。

　　占卜所使用的主要材料是龟甲和牛肩胛骨，还发现有少量的人头骨、鹿头骨、羊骨等。龟甲兽骨在使用前要经过修治，龟甲的整治先将腹甲与背甲锯开，进行锉磨打光，占卜时主要选用腹甲，背甲较少使用。牛的扇形肩胛骨也是主要材料，肩胛骨的整治，先要锯去骨臼部分，再对骨面和边缘进行削刮打磨。修治好的甲骨由史官保存备用。为了更好观察各种部位的卜辞，甲骨学家根据龟甲的纹路和部位，还做了命名，如："甲桥"指龟甲的腹背相交之处，"甲首"指腹甲的首部，"甲尾"指腹甲的尾部，"千里路"指腹甲中间的通贯直纹，等等。下面是修治后的龟甲示意图：

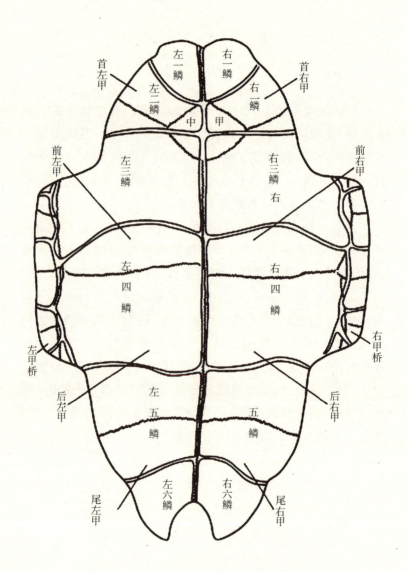

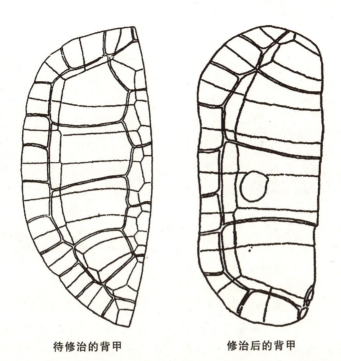

待修治的背甲　　　　　　修治后的背甲

　　占卜时先进行钻凿,凿钻都在反面,先钻(圆槽)后凿(长槽),或先凿后钻,一般取有规律的排列,钻凿数目不等,最多的一版甲骨可有两百多个。钻凿处甲骨变得更薄,以便用文火施灼,使甲骨受热后发生轻微爆裂,在正面呈现出兆纹,这就是占卜的依据——"卜兆"。王或史官根据卜兆来判断所占问事情的吉凶祸福。将占卜的有关事项以及应验情况记刻在卜兆边上就是"卜辞"。卜兆旁边还刻有"一、二、三、四"等数字,这就是"兆序";兆旁刻记的"小告""一告""二告""三告""不午黾"等,是"兆记"。

龟腹甲　　　　　　　　　　　　　肩胛骨

一条完整的甲骨卜辞是有一定格式的,掌握甲骨卜辞的格式,对读懂卜辞很有帮助。卜辞最完整的形式包括"前辞"(也叫"叙辞""述辞")、"命辞"(也叫"贞辞")、"占辞"和"验辞"四个部分。"前辞"记录占卜的时间和占卜者的名字,有时也包括地点(如后期的卜辞);"命辞"记录占卜贞问的事情;"占辞"记录的是根据卜兆判断吉凶祸福的词语;"验辞"是将占卜后应验的情况记录下来。这四个部分就构成了一条完整的卜辞,例如《甲骨文合集》第137片正面这条卜辞:

癸丑卜,争贞:旬亡囚? 王固曰:凵(有)祟(祟)、凵羽(咎)。甲寅,允凵(有)来艰(艰)。左(左)告曰:凵(有)往刍自震,十人凵(又)二。

多数情况下并不是每一条卜辞都有这么完整的形式,最常见的大多是简省形式,如:"癸亥卜,王(前辞),吉(占辞)";"羽(翌)乙亥其雨(命辞)";"己亥卜,宁贞(前辞),御于南庚

（命辞）"；"贞（前辞），屮（侑）于南庚（命辞）"，等等，采用的都是卜辞不同的省略形式。

此外，甲骨文中还有一部分纪事刻辞，主要出现在甲桥、背甲、甲尾、牛肩胛骨的骨臼和骨面下方，这些部位所刻的都不是占卜内容，而是一些关于甲骨来源、修治人员和甲骨保管人员的记录。还有干支表、祀谱、家谱等表谱刻辞也不属于卜辞。

殷墟甲骨文是殷商王室和贵族活动的记录，殷商人十分迷信，王室和贵族的重要活动，都要通过占卜来预知吉凶。因此，甲骨文保存了殷商时期极为重要的历史文化原始资料，内容非常丰富。甲骨文内容主要有：（1）祭祀方面的，包括对祖先与自然神的祭祀、求告等；（2）气象天时方面的，包括占卜风雨阴晴、水旱灾异和天象变化等；（3）祈年求福的，包括农作物种植、收成和农事等；（4）防卫征伐方面的，包括敌人来犯、与方国之间的战争等；（5）殷王行止事务方面的，包括时王的田猎、游止、疾病、生子等；（6）日常祸福安危方面的，包括对今夕来旬吉凶祸福的卜问，等等。殷墟甲骨文保存了殷商社会各方面的史料，因此，可以说甲骨文就是殷商王室和贵族的档案，对殷商时代的语言文字和历史文化研究具有重大价值。

殷墟甲骨的分期与断代

　　根据史书记载,安阳小屯村曾经是商代晚期的都城所在地。从盘庚迁殷到帝辛灭亡,共经历盘庚、小辛、小乙、武丁、祖庚、祖甲、廪辛、康丁、武乙、文丁、帝乙、帝辛等八代十二王,历时 273 年。甲骨文正是这二百多年间的遗物,随着殷墟考古的全面开展和甲骨文研究的不断深入,学者们认识到要深入发掘甲骨文的巨大史料价值,运用甲骨文材料来研究殷代晚期社会的政治、经济、文化以及语言文字,首先就要弄清楚每一片甲骨所属的王世,因此,甲骨的分期与断代研究就成为一项基础性工作。1917 年,王国维发表《殷卜辞中所见先公先王考》一文时,已经根据卜辞中的称谓来判断一些甲骨所属世系,这可以说是甲骨断代研究的开始。1933 年,董作宾发表的《甲骨文断代研究例》,运用比较系统科学的方法,提出了世系、称谓、贞人、方国、人物、事类、文法、字形、书体、坑位等十项分期断代标准。依据这些标准,董作宾首次将甲骨文划分为五个时期:一期从盘庚、小辛、小乙到武丁(二世四王),二期为祖庚、祖甲(一世二王),三期为廪辛、康丁(一世二王),四期为武乙、文丁(二世二王),五期为帝乙、帝辛(二世二王)。通过这项分期断代研究,使二百多年的甲骨文材料可以得到科学的利用,对甲骨文研究可谓有凿破鸿蒙之功。

　　董作宾五期分期断代影响深远,奠定了甲骨文分期断代的基础。随着研究的深入和新的考古发现,一些学者提出了新的分期断代意见,甲骨文的分期断代日趋严密。

1951年,陈梦家根据"卜人"(即贞人)系联和字形特征,将董作宾所谓的"文武丁卜辞"进行分组,从发掘坑位和卜辞关系上论证其时代应属于早期武丁时期。[①] 1957年,李学勤提出卜辞的分类与断代问题,他撰文指出:卜辞的分类与断代是两个不同的步骤,应该先根据字体、字形等特征将卜辞分为若干类,然后分别判定各类所属时代。同一王世不见得只有一类卜辞,同一类卜辞也不见得属于一个王世。[②] 这个意见经过20世纪80年代后的进一步发展和完善,甲骨文的分组、分期研究越来越走向细密。

　　根据甲骨占卜性质的差异,学者认为殷墟甲骨总体上可划分为王卜辞和非王卜辞两大部分。[③] 王卜辞是不同时期以商王为中心进行的占卜活动的记录,殷墟甲骨文的主体是王卜辞。根据甲骨出土情况、卜法文例、书写风格及占卜内容等特征,整个王卜辞又可分村北和村南两个系列。"两系说"将殷墟王卜辞划分为七个大的组类,各组内部还可以再划分出若干小类,这表明殷墟甲骨的分期断代研究不断走向深化。非王卜辞大都属于与王室有血缘关系的家族首领人物的占卜记录,这一部分所见甲骨多出现于武丁中晚期。从占卜主体和占卜内容上看,非王卜辞大致可划分出子组卜辞、非王无名组卜辞、午组卜辞、花东子卜辞、刀卜辞、亚卜辞等主要类型。

---

　　① 陈梦家:《甲骨断代学》,《燕京学报》第40期,1951年;《考古学报》第5、6、8期,1951—1954年,后收入《殷墟卜辞综述》,中华书局,1988年。
　　② 李学勤:《评陈梦家〈殷墟卜辞综述〉》,《考古学报》1957年第3期。
　　③ 李学勤:《殷墟甲骨分期的两系说》,《古文字研究》第十八辑,中华书局,1992年;李学勤、彭裕商:《殷墟甲骨分期研究》,上海古籍出版社,1996年;黄天树:《殷墟王卜辞的分类与断代》,科学出版社,2007年。

商代的文字和典册

　　虽然已发现的甲骨有 10 多万片，但是它们大多是碎片，经科学考古所发现的整版甲骨数量相对较少。甲骨碎片的缀合是一项专门的细致工作，甲骨学者希望通过缀合更多的甲骨，以便了解更多的甲骨文信息，更好利用这批珍贵史料。尽管甲骨文多是残破碎片，学者们经过一百多年的艰辛研究，已经解决了甲骨文释读的许多重大难题，利用殷商考古和甲骨文资料重建殷商史已经取得了许多重要成果。

　　殷墟甲骨文的发现，更使我们可以从第一手资料认识当时的语言文字面貌。目前，甲骨文常用字基本都可以辨识，一些疑难字多为人名、地名等专用字，对甲骨文的理解不会造成根本的障碍。由于对一些字的分合认识还有分歧，对甲骨文到底使用多少单字，还没有一个一致的统计数字，多的有 4600 多个，少的只有 3600 多个。根据我们研究的结果，甲骨文总字数约 4000 字。

　　甲骨文是我国目前能见到的最早的成熟文字系统。从甲骨文的形体结构来看，甲骨文已经发展得比较成熟，这表现在：文字形体的符号化程度已摆脱原始状态，简洁明晰，书写定型程度高，符号之间的区分细微明了；结构类型发展完备，象形、指事、会意、形声等构形方式全部出现，构形表意手段丰富，记音表词（假借、形声）成为主要方式，早期以形表意的造字方法有的已经发展到终极阶段；汉字常用字大都出现，汉字系统中那些象形、指事和表意类基本字大都见于甲骨文。

从记录语言来看,甲骨文能够体现殷商语言的实际面貌。甲骨文有丰富的虚词系统,汉语基本语序和基本句式得到较为充分的表现,这些都表明甲骨文记录的是殷商实际语言,这是文字系统发展成熟的标志。

甲骨文作为特殊用途的材料,自然不是殷商时代语言文字面貌的全面反映。就文字形体来看,用刀具在甲骨上刻写与用软笔书写或在模具上范铸的字形效果是不一样的。商代青铜器上的铭文,应该是先用软笔书写在模范上的,风格与甲骨文有明显的差异,金文大概代表了当时通行的字体风格,这从少数用软笔书写的甲骨文可以得到印证。殷商时代通常的书写材料,应当是简册。

简牍制度在我国有着悠久的历史,《尚书·多士》关于殷商有典册的记录应该是可信的。甲骨文可以提供一些间接的证明,如:甲骨文已经出现了"册"和"典"两字,这两个字就是简册的形象记录;甲骨文通常的行款是纵向下行,这是现实中使用竹简形成的书写习惯在甲骨上的体现;甲骨文中许多表示动物的字,如"马、虎、犬、豕"等,头部朝上,脚部腾空,这也是适应竹简宽度而作的重心调整。因此,殷商最常用的书写工具和载体是"毛笔"(软笔)和简牍,这一点应该是没有疑义的。

简牍取材便利,先民们最早用来作为书写载体是很自然的选择。但是,简牍易腐,长远保存困难,因此,我们无法见到殷商时期的真正简册。从 20 世纪初起,西方考古探险家在我国西部新疆、内蒙、甘肃等地区发现汉晋简牍之后,20 世纪西部地区出土了数量惊人的两汉、三国和晋代简牍。20 世纪 50 年代后,考古工作者在河南、湖南、湖北、四川、山东、安徽、江苏等多个省发现了战国楚简、秦简、汉简和吴简等简牍。据统计,20 世纪发现的简牍分布在全国 14 个省区,总数约在 27 万多枚。这些简牍主要是战国秦汉时期之物,最早的是战国楚系的,最迟的是唐代的。魏晋以后,纸张的使用逐步取代简牍,保存下来的简牍自然也相对减少。到了唐代,纸张已广为流行,简牍基本上退出了使用领域,只有西部地区有极少的发现。[①] 战国以后简牍的大量发现,丰富了我们对古代简牍制度的具体认识,商代先人曾拥有"典册"似乎再也不是那么虚无缥缈了。

_____

① 参看骈宇骞:《简帛文献概述》第二章,台湾万卷楼图书股份有限公司,2005年。

【附录】甲骨文选释

(1)《甲骨文合集》14116 片

[释文]

① 贞：帚（妇）鼠冥（娩），余弗其子？四月。

② 壬申卜：多冒无（舞），不其从雨？

说明：这片甲骨属于一期时代最早的一类，残片有两条卜辞，由下向上排列。第1条卜辞是卜问妇鼠分娩生育之事。第2条卜辞是卜问举行歌舞祭仪是否能求得顺雨。

(2)《甲骨文合集》10951 片

[释文]

① 壬午卜:王其逐才(在)万[鹿]获?允获五。一 二 二告

② 壬午卜:王弗其获才万鹿?一

③ 壬辰卜,王:我获鹿?允获八豕。一

④ 壬辰……不其……

⑤ 丁未卜:王其逐,才蚰鹿获?允获七。一月。一

⑥ 戊午卜:更齿罕(擒)?允罕二……二月。二 五 七 八

⑧ 戊午卜:更齿弗其罕(擒)?一 二

说明:这版完整的龟甲略有残缺,是一期的卜辞。残存的龟甲上有五条卜辞,是在壬午、壬辰、丁未、戊午四个干支日所进行

的占卜记录。卜辞的阅读按照干支先后秩序进行。从这版不太完整的龟版可以看出,同一事件进行了两次卜问,形成对贞问句。整版卜辞都是占问田猎捕获之事,田猎时间从第1、2辞的"壬午"、第3辞的"壬辰"、第5辞的"丁未"到第6、7辞的"戊午",历时36天。所涉猎物有鹿和豕,狩猎方法包括逐、凷(陷阱)两种,田猎的地名有万和蚰。除了商王之外,一个叫更的人(部族首领)也随商王参加了这次田猎活动。

(3)《甲骨文合集》6057片正、反

6057 正　　　　　　　　**6057 反**

[**释文**](正面)

① 王固曰:屮(有)祟,其屮来艰(艰)。乞(迄)至七日己巳,允屮来艰自西。敄友角告曰:呂方出,馒(侵)我示簒田,七十人五。

② 癸未卜,[敄][贞:旬亡[冏](祸)]? 一

③ 癸巳卜,[敄]贞:旬亡[冏]? 王固曰:屮祟,其屮来艰。乞至五日丁酉,允屮来[艰自]西。沚戬告曰:土方显于我东啚(鄙),

[蚩](捷)二邑。舌方亦戋我西啚田。

④ 癸卯卜，骰贞：旬亡囚？王固曰：业祟，其业来娃。五日丁未允业(有)来娃，🐒钔(御)，[𢦏]自邑啚六[人]……一

⑤ □□卜，□[贞：旬亡囚]？五月。

[**释文**](反面)

① 王固曰：业祟，其业来娃。乞至九日辛卯允业来娃自北。奴🐒妏告曰：土方戋我田，十人。

② ……业来[娃]……业来[娃]……乎……东啚，蚩二邑。王步自𦥑，于酤后……夕🐚壬寅王亦冬(终)夕🐚。

说明：这版卜辞属于一期宾组，是牛胛骨的骨扇部分，正反两面都有刻辞。罗振玉《殷墟书契菁华》一书最早著录。这是一版贞旬卜辞，涉及癸未、癸巳、癸卯三旬，命辞后多附占辞和验辞（反面也刻有占辞和验辞），正反面卜辞都使用了分隔线。正面部分：第(1)辞在分隔线右，共三列，从上到下，从右向左；第(2)辞，在右上短弧线分隔区，辞残缺；第(3)辞，在中部分隔线左侧，共四列，左向；第(4)辞从右侧"癸卯"一列右向，共四列；第(5)辞为右上顶角残辞。反面部分：第(1)辞为折角分隔线左下，共三列半，右向；第(2)辞为其余部分，从左向右。

这版卜辞内容涉及商与周边方国的关系，反映了商王朝与土方和舌方之间的冲突。一月之内，商王多次被方国侵扰。正面第(1)辞中记己巳日数友角前来报告，说舌方出动，侵犯了商王的"示棥田"，掳掠走七十五个人。第(3)辞中，部族首领沚戜来报告，土方侵犯东部疆界，摧毁了两所邑落；舌方亦同时出动，侵犯了西疆的领土。第(4)辞记丁未这天弖地的牢狱中有六人逃亡。所有这些事的发生都验证了占卜的结果，"允业(有)来娃(艰)"！这版甲骨刻辞被涂上朱色，以示所记事件特别重要。

(4)《甲骨文合集》32384 片

[释文]

　　乙未,酒䄍品田(上甲)十匚(报乙)三匚(报丙)三匚(报丁)
三示壬三示癸三大乙十大丁十大甲十大庚七小甲三[大戊……
中丁]三祖乙……

　　说明:此片是武丁晚期到祖庚时期的卜辞,属历组二类。本
来是三枚残片,上两片由王国维缀合,下一片由董作宾缀合,三

片缀合后对殷先王世系的研究至关重要。① 该片卜辞占卜在乙未日选祭直系先王,使用了"酒、**、品"三种祭法,从上甲、报乙、报丙、报丁、示壬、示癸六示直到祖乙(后有残损),非直系的只有"小甲"列入,不合常例。这条祭祀卜辞不仅证明了《史记·殷本纪》所载殷先王世系的可靠性,还根据报乙、报丙和报丁排序,订正了《殷本纪》中"报丁"与"报丙"次序的误排。卜辞中报乙、报丙、报丁、小甲(作"米"形)都是合文,先王名后的数字指祭品数量。

(5)《甲骨文合集》27146 片(拓片、摹本)

① 郭沫若:《卜辞通纂》第 332—333 页、第 625—626 页,《郭沫若全集》之《考古编》第二卷,科学出版社,2002 年。

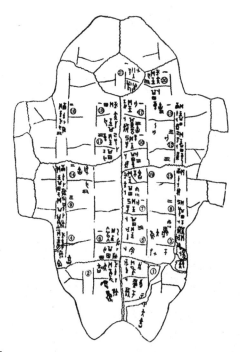

［释文］

① 戊午卜，狄贞：隹（唯）兕于大乙集？大吉。

② 戊午卜，狄贞：隹兕大丁集？吉。

③ 戊午卜，狄贞：隹兕于大甲集？

④ 戊午卜，贞：王宕（窀）？

⑤ ［戊］午□，［狄］贞：王弜宕？吉。

⑥ 乙丑卜，狄贞：王其田，衣（卒）入亡巛（灾）？一

⑦ 己巳卜，狄贞：王其田，亡巛？一

⑧ 己巳卜，狄贞：［王］田，不冓（遘）雨？二

⑨ 己巳卜，［狄］贞：其冓雨？三

⑩ 己巳卜，狄贞：王其田，叀（惠）辛亡巛？一

⑪ 己巳卜，狄贞：王其田，叀［壬］亡巛？

⑫ 己巳卜，狄贞：王其田，叀乙亡巛？三

⑬ 庚午卜，狄贞。

141

⑭ 庚[午卜,狄]贞:王其田[于]利,亡𢦏?吉。二

⑮ 庚午卜,狄贞:王其田,叀乙亡𢦏?吉。一

⑯ 庚午卜,狄贞:叀[戊]亡𢦏?二

⑰ 壬申卜,狄贞:王其田,衣(卒)亡𢦏?吉。一

⑱ 戊寅卜,贞:王其田,亡𢦏?一

⑲ 戊寅卜,贞:王其田,亡𢦏?一

⑳ 戊寅卜,贞:王其田,不雨?吉

㉑ 甲申卜……[逐]麋?一

说明:这是1934年殷墟第9次发掘在侯家庄王陵区发现的"大龟七版"之一,属于廪辛、康丁时期的何组卜辞。这七版龟甲卜辞主要由贞人狄主持占卜,其内容相关、时间接续、字形相同。此版内容涉及田猎和祭祀。各条卜辞由下向上,由千里路向外,按照干支顺序阅读。第(1)—(5)辞与祭祀活动有关,不过第(1)—(3)辞中的"集"祭亦关系田猎,是一种用猎物向祖灵致祭的仪典,卜选致祭的对象是先王大乙、大丁和大甲。第(4)、(5)辞卜问商王是否宾临于祭典,该祭祀缺刻。此版其余卜辞所记都是与田猎有关的卜辞,卜问内容包括是否田猎、田猎日期、天气状况、田猎地点、猎物种类或田猎手段等,各辞末的"亡𢦏(灾)"是田猎卜辞占卜用的习语。

(6)《甲骨文合集》36482 片

[释文]

① 甲午王卜，贞：祚余酚朕奉酉，余步，比侯喜正（征）人方。
上下敭示受（授）余又＝（有佑），不甾戠（捷），凸，告于大邑商，
□□才㽙。王固（占）曰：吉。才（在）九月。遣上甲壹，隹（唯）
十祀。

② 甲午王卜，贞：其于西宗美示？王固曰：引吉。

说明：此版是帝乙、帝辛时期的黄组卜辞。此片有两条卜
辞，从下向上排列，下行右向。两条卜辞占卜的时间都是商王十
祀九月甲午日，祭祀的对象是先王上甲。第(1)辞王占卜的事项

是联合攸侯喜征伐人方,希望受到所有神灵的保佑,使战争取得胜利,并将所有这些行动和希望告祭于大邑商。商王这次占卜获得吉兆。这是在十祀征人方开始时,商王举行的占卜和祭祀活动。黄组中征人方的同类卜辞还有 10 多片。第(2)辞可能是卜问祭祀地点的。

铸鼎勒铭　明著后世

——西周青铜器铭文

　　古代简牍制度可能形成很早,但简牍无法长久保存,目前所能见到的最早的简牍是战国时代的楚简。幸运的是,先人们借助甲骨、金石这类不易腐朽的载体,才为我们保存了大量的殷商和西周时代的文字记录。今天我们能看到的时代久远的文字,除了殷商时期的甲骨文,就是商周时代的青铜器铭文了。

古代的青铜器

　　根据劳动生产工具的演进,西方考古学者将人类社会的发展划分为石器时代、青铜时代和铁器时代。从夏代开始我国就出现了青铜器,考古发现的我国时代最早的青铜器,是甘肃马家窑文化遗址出土的铜刀(约公元前 3000 年—公元前 2300年)。河南偃师二里头文化相当于历史上的夏代,在二里头文化遗址中发现了爵、锥、小刀等青铜器。古代文献记载,"昔夏之方有德也,远方图物,贡金九牧,铸鼎象物,百物而为之备,使民知神奸"[①]。夏后启曾使蜚廉在山川开采铜料来铸造器物。[②] 传说夏禹铸造的九鼎一直流传到商周时代,"问鼎"

――――――――――――

　①　见《左传·宣公三年》。
　②　见《墨子·耕柱》。

"迁鼎"也成为王权更替的象征。因此,学者们认为,历史上的夏商周到春秋战国时代大体上就是我国的青铜时代。

青铜是一种以铜为主并含有一定比例的锡和铅的合金材料,凡是以青铜为主要原材料制造的器物都统称青铜器。我国古代青铜器在商代已经发展到较高水平,尤其是商代后期,出现了大量的青铜重器,其体量巨大,造型奇伟,纹饰繁复。商代晚期的青铜器类型更加丰富,众多品类青铜器的组合搭配,尽显当时王室贵族的华奢生活。如 1976 年发掘的殷墟小屯五号墓,墓主人妇好是在甲骨文中经常出现的商王武丁的王妃,墓中陪葬的青铜器多达 210 件,不仅数量巨大,组合丰富,而且许多器物体型宏伟,铸造精美,充分体现出当时青铜器发展的水平。西周时期的青铜器,在商代基础上有了进一步发展,近百年来发现的大量西周王室贵族铸造的青铜器,反映出当时青铜文化的高度繁荣,尤其是青铜器上铸刻的长篇铭文记载了西周时期许多重大事件,对西周历史研究极其重要。春秋战国时期,诸侯国铸造的青铜器表现出地域风格特征,失蜡法和错金银技术的运用,使得器物造型和纹饰精美绝伦,青铜器铸造技艺达到一个新的高峰。从商周到春秋战国时代,已发现的数量巨大的青铜器对当时的历史、文化、艺术和科技研究都具有重大的价值。

青铜器既包括王室贵族铸造的礼器乐器,也包括一般生产工具、生活用具。对品类繁复的青铜器,过去曾分为礼器和乐器两大类别。随着对青铜器认识的深入,分类也越来越细,如容庚将青铜器分为食器、酒器、水器、乐器等四大部类[1],杜乃松则分为十二类[2]。按照用途,古代青铜器大体可

---

① 容庚、张维持:《殷周青铜器通论》,科学出版社,1958 年。
② 杜乃松:《中国古代青铜器简说》,书目文献出版社,1984 年,第 72 页。

以分为以下各类：(1) 食器，如鼎、鬲、甗、簋、簠、盨等；(2) 酒器，如爵、斝、觚、觯、尊、卣、盉、方彝、罍、壶、杯等；(3) 水器，如盘、匜、盂、鉴、缶、瓿等；(4) 乐器，如铙、钟、钲、铎、句鑃、铃、錞于、鼓等；(5) 兵器，如戈、矛、戟、钺、刀、剑等；(6) 车马器，如軎、辖、衔、镳、毂、当卢、轭等；(7) 日用器具和其他杂用制品等。虽然古代青铜器品类如此丰富，但只有王室贵族和那些"钟鸣鼎食"之家才能享用，一般百姓日常使用的器具还是以陶器为主。

青铜器铭文

　　青铜器铭文也叫"金文""吉金文字""彝器款识"，因为古代"金"既指金也指铜，所以青铜器也称"金""吉金""彝器"。为什么要在青铜器上铸刻铭文呢？《礼记·祭统》认为："夫鼎有铭，铭者自名也，自名以称扬其先祖之美，而明著之后世者也。"这是说在鼎这类重器上铸刻铭文，目的是称扬先祖的美德和功业，好让后世子孙永远铭记住。随着大量青铜器的出土，我们看到青铜器铭文的内容远比《礼记》说得丰富复杂，从早期铭文主要是记录族氏和日名，到西周时代记录各种重要事件的长篇巨制，再到战国时代的物勒工名，青铜器铭文记录的内容、体例都在不断地发生变化。

　　从篇幅和内容来看，从殷商到西周青铜器铭文变化显著。商代青铜器铭文字数很少，多为族氏名、被祭祀的父祖名，或作器者私名，如 1976 年殷墟五号墓出土的青铜器有"司母辛""妇好"等铭文。商代后期开始出现较长的记事铭文，如戍嗣子鼎铭文有 30 字，四祀𠨘其卣有 44 字。这些较长的铭文反映了商王的祭祀、赏赐、征伐等活动，是研究商代晚期文字和历史文化的重要资料。西周长篇铭文大为增加，如大盂鼎有 291 字，史墙盘有 284 字，散氏盘有 375 字，毛公鼎多达 497 字。西周青铜器铭文的内容主要涉及以下有关方面：一是西周重大历史事件，如利簋记载武王在甲子日灭商、何尊记载成王五年迁都成周等；二是西周礼仪制度，如西周时期的祭祀、册命、宴飨等礼仪；三是西周土地和法律制度，如西周土地交换、地界勘履和法律诉讼等；四是周人思想观念,如天命观、尚德思想、孝敬观念等;五是征伐、盟约、婚嫁等方面的。这些内容对研究西周政治、经济、军事、文化、外交等都是十分珍贵的原始材料。

西周青铜器铭文客观再现了这一时期汉字形体的发展演变。商代晚期的金文形象性较强,线条多首尾尖、中间粗,肥笔和填实较多,西周早期的金文字体与商代晚期差异不大,依然延续了殷商的字体风格。到西周中期以后,文字形体趋向规整均衡,线条也变得粗细匀称,通篇铭文追求布局整齐。西周晚期金文风格秀丽,字体更加规整美观。

青铜器铭文的著录和考释

历史上早有发现青铜器的记载,那些现世的三代青铜器历来都被视为瑰宝。汉武帝、宣帝时,青铜的发现被说成是天降祥瑞的征兆。到了宋代,青铜器发现越来越多,"搜罗古器,征求墨本"成为一时风尚,于是形成了一门"金石学"。所谓金石学,实际上并非就是青铜器学,历代石刻碑铭的内容在金石学中占有相当的比重。宋人收集研究青铜器铭文很有成就,留下了吕大临的《考古图》、王黼的《博古图》、薛尚功的《历代钟鼎款识法帖》、王俅的《啸堂集古录》和赵明诚的《金石录》等一批金石著作。在青铜器铭文的著录、考释等方面,宋人创造了一套方法,在金文识字方面成绩也很可观。元明时代,金石文字的研究进步不大。清乾隆时,将内府藏器编为《西清古鉴》,其后海内士大夫闻风承流,促成了乾嘉以后的金石学复兴。据统计,清代各类金石著作中所著录的三代和列国的青铜器近六千件[①],出现了吴大澂、方浚益、孙诒让、刘心源等一批著名金石学家,在金文考释方面他们取得了突出成就,对古文字学从传统金石学中分立起到了重要推进作用。

20世纪以来,全国各地陆续发现了大量的有铭青铜器,对青铜器及其铭文的研究也进入到一个科学发展的新阶段,取得了丰硕的成果。罗振玉、王国维、郭沫若、容庚、陈梦家、唐兰、杨树达、李学勤、裘锡圭等学者,在商周青铜铭文的辑

---

① 朱心剑:《金石学》,文物出版社,1981年,第77页。

录、断代、考释等方面都取得了突出成就。在青铜器铭文著录方面,中国社会科学院考古研究所编纂出版《殷周金文集成》,从1984年到1994年分册出版。这部青铜器铭文集大成的著作,规模宏伟,编纂精湛,收录宋代以来传拓和新发现的殷周有铭青铜器共达11983件。该书编纂出版过程中,又有许多有铭青铜器发现,据统计,从1985年到2007年新出青铜器就多达二千余件,其中有些器物铭文十分重要。汇集《殷周金文集成》未能收录的新出有铭青铜器,近年又编纂出版了《近出殷周金文集录》(刘雨、卢岩编著,中华书局2002年版)和《近出殷周金文集录二编》(刘雨、严志斌编著,中华书局2010年版)等。

　　近百年来,青铜器铭文综合研究和字词考释方面取得了全面进步。金文字词研究的成果集中反映在一些大型工具书中,如:汇总各家金文考释意见的有周法高主编的《金文诂林》(香港中文大学1975年版)、《金文诂林附录》(香港中文大学1977年版)、《金文诂林补》(台湾历史语言研究所1982年版)等;汇集释字成果的金文字编,最著名的就是容庚的《金文编》,继该书修订本(第四版)出版之后,董莲池编著出版的《新金文编》(作家出版社2011年版)、陈斯鹏等编著出版的《新见金文字编》(福建人民出版社2012年版)等书,集中反映了1985年以来新见金文和新释金文的成果。

【附录】西周金文选释

1. 利　簋

[简介]　利簋铭文选自《殷周金文集成》04131 号。利簋 1976 年 3 月在陕西临潼县零口公社西段大队发现,现藏临潼县文化馆。该器从一个西周青铜器窖穴出土,同出器物六十余件。利簋器铭文前一部分记武王征商,很快取得胜利;后一部分记右史利受赏而铸器。这件器物当是武王征商后不久所作,是西周武王时期最早的一件铜器。

[释文]

珷(武)征商,佳甲子朝。岁

鼎（贞），克闻，夙又（有）商。辛未，

王在𪊔𠂤，易又（右）事（史）利

金。用乍（作）𪎭公宝障彝。

［注释］

（1）珷（武）征商，隹甲子朝

珷：该字从"王"，为武王的专名字。文王的专名字作"玟"。

甲子朝：武王征商的时间，与《逸周书·世俘解》"甲子朝"、《尚书·牧誓》"甲子昧爽"的记载相同。或以为其时当在公元前1075 年阴历 2 月 5 日。①

（2）岁鼎（贞），克闻，夙又（有）商

岁鼎："岁"，岁祭；"鼎"，用为"贞"，与卜辞同。指岁祭时贞问伐商之事。

克闻："克闻于上帝"的省语，指贞问的内容上帝已经得知了，意思是征商能得到上帝的福佑。

夙又（有）商："夙"，早晨；引申为"快速"。"又"，读"有"，拥有、占有之意。这句话是说武王很快占有商都，取得胜利。

（3）辛未，王在𪊔𠂤，易又（右）事（史）利金

辛未：为甲子日克商后的第七天。

𪊔𠂤：地名。𪊔，"阑"的古字。"𠂤"，甲骨文用作"师"字，这里用为住次之"次"。

易又（右）事（史）："易"，读"赐"。"又"，"右"的古体。"事"，与"吏""史"同一字分化，"又事"就是"右史"，是利的职务。右史利大概是因为征商时占卜有功而被赏赐。

（4）用乍（作）𪎭公宝障彝

乍："作"的古字。

𪎭公："𪎭"，"旃"的异体，此处读为"檀"，檀公是利的父亲。

---

① 唐兰：《西周青铜器铭文分代史征》卷一上·武王，中华书局，1986 年，第 8 页。

䔵彝：“䔵”，后来写作“尊”。“䔵彝”是彝器的通称。

2. 免 簋

[简介]　免簋铭文选自《殷周金文集成》04240 号。免簋铭
6 行 64 字，器身已毁，残存器底，现藏上海博物馆。铭文记录了
王在周太庙册命免，命免辅佐周师主管仓廪，并对免进行赏赐。
这位周王有人以为是穆王，有人以为是懿王。

[释文]

佳十又二月初吉，王才（在）周，昧

爽，王各（格）于大庙，井叔有（右）免即

令。王受乍（作）册尹者（书），卑（俾）册令

免曰：“令女（汝）疋（胥）周师嗣（司）戬，易（赐）

156

女（汝）赤🔾市，用事。"免对扬王休，

用乍（作）障簋，免其万年永宝用。

[注释]

（1）隹十又二月初吉，王才（在）周

初吉：古代月相纪时名称。具体所指时间，一说指朔日，就是每月的初一；一说指朔日到上玄，也就是每月初一到初八这一时段。

王才（在）周："才"，"在"的古字。"周"，西周成王以后的青铜器铭文中常有"王在周"的记载，"周"指的是春秋时的王城。陈梦家认为："对西土而言，王城、成周是所谓东都。由其地位而言，则王城在西而周王与西周公居之，为'西周'，成周在东而东周公居之，为'东周'。'东西周'即表示东西两周公，也表示东西两周公所在之地（成周、王城）。"①

（2）昧爽，王各（格）于大庙

昧爽：早晨，天刚亮。各：典籍多作"格"，前往。大庙：就是祭祀供奉祖先的太庙。

（3）井叔有（右）免即令

井：典籍写作"邢"。右：辅佐，陪同。即令：就命，指就王廷受命。

（4）王受乍（作）册尹者（书）

受：授予。作册尹："作册"见于殷商晚期金文和卜辞，本为制作册命的史官。"尹"，一种官职之长。"作册尹"为作册之长，是西周中期的史官。

者：读为"书"，这里指册命。《说文》："书，箸也。从聿，者声。"

（5）卑（俾）册令免曰

卑：读"俾"，使。

---

① 陈梦家：《西周铜器断代》（上），中华书局，2004年，第369页。

（6）"令女（汝）疋（胥）周师嗣（司）廩

疋："胥"的古字，辅佐。周师：当是西六师之一。廩：读为"廩"，司廩是管理粮食的官员。

（7）易（赐）女（汝）赤⊖市

⊖市：前一字不识。有人释"雍"，有人释"环"，都难以令人信服。"市"，蔽膝。

3. 燹公盨

［简介］ 燹公盨铭文选自《中国历史文物》2002 年第 6 期。2002 年春，保利艺术博物馆专家在香港古董市场发现该器，现由保利艺术博物馆收藏。该器只存器身，器盖已失，有铭文 10 行 98 字。器表装饰一周凤鸟纹带及瓦棱纹，口两侧

设一对兽首形耳,装饰简洁而典雅,具有西周中期后段青铜器的风格特征。燹公盨铭文叙述大禹受天命治水,设立四方贡赋,作民父母,为政以德等内容。该器铭文内容十分重要,体例也很独特。

[释文]

天令(命)禹尃(敷)土,堕山浚川。迺(乃)

差方埶(设)征,降民监德。迺(乃)自

乍(作)配乡(向)民,成父母,生我王,

乍(作)臣。氒(厥)顕(贵)唯德,民好明德,

騹(柔)才(在)天下。用氒(厥)邵(绍)好,益□

懿德,康亡不楙(懋)。考(孝)友愢明,

巠(经)齐好祀,无鬽(愧)心。好德闻(婚)

遘(媾),亦唯协天,敏用考(孝)申(神)。复

用嬭(被)彔(禄),永叻(孚)于盗(宁)。燹公曰:

民唯克用兹德,亡(无)诲(悔)。

[注释]

(1) 天令(命)禹尃(敷)土,堕山浚川

尃土:"尃",古书作"敷"。《尚书·禹贡》:"禹敷土,随山刊木,奠高山大川。""敷"与"布"音义皆近。"天命禹敷土",与文献记载一致。

堕山:铭文是"堕"字的初文,用手取"阜"上之土,表示隳堕之意。《禹贡》作"随山"。

浚川:疏通河川。铭文是"浚"的初文。《书序》作"随山浚川",铭文与《序》文字相同,值得重视。

(2) 迺(乃)差方埶(设)征,降民监德

差方埶(设)征:"差方",考察各方差异。"埶","艺"的初文,

古文字资料中"埶"多读作"设"①，这里也读为"设"。"征"，税。
《书序》："禹别九州，随山浚川，任土作贡。"正义："禹分别九州之
界……任其土地所有，定其贡赋之差。"可以参考。

降民监德："降民"，指天生下民。"监德"，指禹受天命监察
民德。《左传》襄公十四年："天生民而立之君，使司牧之，勿使失
性。"铭文的意思是禹受天命，为天生下民之君，监察民之德性。

（3）迺（乃）自乍（作）配乡（向）民，成父母，生我王，乍
（作）臣

迺（乃）自作配乡（向）民："自作配"，指天立禹为自己作配。
《诗·大雅·皇矣》有"天立厥配，受命既固"。"乡"，"飨"的初文，
读为"向"。"向民"，指引导人民。"作配乡（向）民"，意思是让禹
配合上帝来治理和引导下民。《孟子·梁惠王下》："《书》曰：天降
下民，作之君，作之师，惟曰其助上帝，宠之四方。"赵岐注："言天
生下民，为作君，为作师，以助天光宠之也。"

成父母，生我王，乍（作）臣：意思是王受命于天，作为民众的
父母，民众则是王的辅佐之臣。《书·洪范》"曰天子作民父母，以
为天下王"，意思相近。

（4）丕（厥）顗（贵）唯德，民好明德，憂（柔）才（在）天下

丕（厥）顗（贵）唯德："丕"，"厥"的古字，其。"顗"字见《说
文·页部》，"读若昧"，金文借为"眉寿"之"眉"，这里读作
"贵"②。"厥贵唯德"，指"王以德为贵"。

民好明德："明德"为周人常语，《礼记·大学》："大学之道，
在明明德。"《正义》："言大学之道在于章明己之光明之德。"可以
参考。

憂（柔）才（在）天下："憂"，从"食"从"憂"省，疑读为西周常

① 裘锡圭：《古文献中读为"设"的"埶"及其与"执"互讹之例》，《东方文化》第
36卷第1、2号，香港大学亚洲研究中心，2002年。
② 裘锡圭：《豳公盨铭文考释》，《中国历史文物》2002年第6期。

语“柔远能迩”的“柔”。大克鼎、潘生簋盖“柔远能迩”的“柔”字，从“卣”从“夒”，或以为即“扰”的本字，“夒”可能是“柔”的异形。《诗·大雅·民劳》：“柔远能迩，以定我王。”郑笺：“安远方之国顺如其近者，当以此定我国家为王之功。”可以参考。

(5) 用氒(厥)卲好，益□懿德，康亡不楙(懋)

用氒(厥)卲好：“用”，以，因。“卲”，读“绍”，继承。“好”，“好德”之“好”，指美德。“绍好”意思是继承发扬美好德行。

“益□懿德”：“益”，增益。“益”下一字有残损，不识。“懿德”，美德，西周常用词语。《诗·大雅·烝民》：“民之秉彝，好是懿德。”

康亡不楙(懋)：“康”，安康。“亡”，与“无”“毋”通。“楙”读为“懋”，黾勉、不懈怠。“康亡不懋”，意思是虽然康宁而不敢不黾勉努力。

(6) 考(孝)友愠明，巠(经)齐好祀，无䫌(愧)心

考(孝)友愠明：“考”用为“孝”。西周铜器铭文经常以“考”为“孝”，下文“敏用考申(神)”，“孝”也用“考”字。“愠明”，大概指美德。

巠(经)齐好祀：“巠”读为“经”，正、直。“齐”，庄、敬。“经齐好祀”，意思是以恭敬庄重的美好德行来举行祭祀。

无䫌(愧)心：“䫌”，从贝，鬼声，这里读作“愧”。

(7) 好德闻(婚)遘(媾)，亦唯协天，敏用考(孝)申(神)

好德闻(婚)遘(媾)：“闻”，铭文从“耳”“昏”声，是“闻”的古字，读作“婚”。“遘”，读作“媾”。“好德婚媾”，意思是婚姻嫁娶体现美德。

亦唯协天：“协”，铭文是“协”的古字，和、合。《尚书·尧典》“协和万邦”。“亦惟协天”，意思是美德也与天意协和。

敏用考(孝)申(神)：“敏”，勉励。“申”，读作“神”，这里指先人。“敏用孝神”，意思是敏勉地以美德来追孝先人。

(8) 复用𩛥(祓)彔(禄)，永卩(孚)于盄(宁)

复用媘（祓）彔（禄）："媘"，读为"祓"，福。"彔"，读"禄"。"复用祓禄"，意思是又用美德来求得福禄。

永卩（孚）于盗（宁）："永"，长。"卩"，读作"孚"，信。《礼记·缁衣》所引《诗·大雅·文王》"万邦作孚"之"孚"，上博简《缁衣》字形与此相同。"盗"为"窴"字省文，《说文》以"窴"为安宁之"宁"的本字。"永孚于宁"，意思是长享安宁，《吕刑》有"其宁惟永"之语，与此意相近。

（9）燮公曰：民唯克用兹德，亡（无）诲（悔）

燮公："燮"，有人读作"齯"（郊），有人读为"遂"，西周封国名。

民唯克用兹德，亡（无）诲（悔）："亡诲"读为"无悔"。《周易》爻辞"无悔"常见。"克用兹德亡悔"与《诗·大雅·皇矣》"其德靡悔"相近。燮公的话大意是说民只要用此德，就没有悔咎了。

4. 虢季子白盘

　　[简介]　虢季子白盘铭文选自《殷周金文集成》10173 号。清道光年间虢季子白盘在陕西宝鸡虢川司出土,现藏中国历史博物馆。盘有铭文 8 行 111 字,重文 4,合文 3。铭文记载虢季子伯英武勇猛,在与猃狁作战时斩首执讯,获得大胜。周宣王嘉奖虢季子伯,在周庙宣榭举行宴飨赏赐活动。这篇用韵的铭文,可与《诗经·小雅·六月》所记相参看。

　　[释文]
　　佳(惟)十又二年正月初吉丁亥,虢季子
　　白乍(作)宝盘。不(丕)显子白,壮武于戎工(功),
　　经缦四方。搏伐猃狁,于洛之阳。折
　　首五百,执讯五十,是以先行。趄趄子白,献
　　馘于王。王孔加(嘉)子白义,王各(格)周庙宣
　　廊(榭),爰乡(飨)。王曰:“白父,孔覜又(有)光。”王赐
　　乘马,是用左(佐)王;赐用弓,彤矢其央;
　　赐用戉(钺),用政(征)緣(蛮)方。子子孙孙,万年无疆。

　　[注释]
　　(1)佳(惟)十又二年正月初吉丁亥,虢季子白乍(作)宝盘
　　佳(惟)十又二年正月初吉丁亥:“十又二年”,周宣王十二年,公元前 816 年。

　　虢:西周封国名,姬姓。一指文王弟仲所封西虢,故城在今陕西宝鸡县东,后迁到上阳,故城在今河南陕县东南,春秋时为晋所灭;一指文王弟叔所封东虢,故城在今河南荥泽县之虢亭。“虢季”,虢的氏称,属西虢。

　　(2)不(丕)显子白,壮武于戎工(功),经缦四方
　　壮武于戎工(功):“壮”,从爿,牀(省木)声,大。“壮武”,指英武勇壮之意。“于”,连词,而。“戎工(功)”,“戎”,大。“工”,同“功”。《诗·周颂·烈文》“念兹戎功”,毛传:“戎,大皇美也。”

　　经缦四方:“缦”,“维”的异体,意为“纲”。“经维”,指纲纪、治理。《诗·大雅·棫朴》:“勉勉我王,纲纪四方。”

（3）搏伐玁狁，于洛之阳

搏伐玁狁："搏"，铭文从"干"，当是"搏"的本字。"玁狁"，北方部族。《诗·小雅·六月》作"薄伐玁狁"。

于洛之阳：在洛水北岸。

（4）折首五百，执讯五十，是以先行

折首五百："折首"，斩首。"五百"，合文。

执讯五十："执讯"，执拘俘虏。"讯"字是一个表示执拘俘虏以讯问的会意字。"执讯"典籍常见，如《诗·小雅·出车》"执讯获丑"，"讯、丑"，指的是擒获的俘虏和首领。"五十"，合文。

先行：前驱。指虢季子白作战勇猛，有折首执讯之功，是攻打玁狁的前驱。

（5）趄趄子白，献馘于王

趄趄：威武的样子，典籍作"桓桓"。《诗·周颂·桓》："桓桓武王。"笺："我桓桓有威武之武王。"《诗·鲁颂·泮水》："桓桓于征。"毛传："桓桓，威武貌。"

献馘：作战时搏杀敌方，割取其左耳以献功。《礼记·王制》："出征执有罪，反，释奠于学，以讯馘告。"铭文"馘"字所从似"爪"字，或以为是所搏杀敌方后割取带发的头皮献功。

（6）王孔加（嘉）子白义，王各（格）周庙宣廎（榭），爰乡（飨）

孔加："孔"，大。"加"，读"嘉"，赞美。"义"，善，这里指功绩。

周庙：周王室太庙。

宣廎："廎"，"榭"的古字。《尔雅·释宫》："阇谓之台，有木者谓之榭。"疏云："台上有木起屋者名榭。"《左传》宣公十六年经："成周宣榭火。"杜注："宣榭，讲武屋。""宣廎"即"宣榭"，为宣扬武功的场所。

爰卿："爰"，于是。"乡"是"飨"的古字，宴飨。

（7）王曰：白父，孔覒又（有）光

白父：周宣王以"父"辈尊称子白。

孔覭有光:"孔",大。"覭",字不识,字义与"显"相近。"又(有)光,显赫。

(8) 王赐乘马,是用左(佐)王;赐用弓,彤矢其央

赐:赏赐。两个"赐"字铭文都从"目",字见于《说文解字》,读为"赐"。

彤矢其央:"其央",相当于"央央",鲜明的样子。

书同文字　为典为范

——字书与汉字的规范

汉字系统从发生、发展到定型，是一个漫长的渐变的过程。从先秦以来，汉字的规范总是随着汉字体系的发展而发展，"书同文字"始终是汉字规范追求的理想目标。历代学者为实现这一目标编纂了各种类型的字书，这些字书为汉字的规范提供了基本的依据和典范。

汉字的早期规范——书同文字

　　早在先秦时代,"书同文字"就作为文字规范的理想提出来了。《管子·君臣》提到:"衡石一称,斗斛一量,丈尺一制,戈兵一度,书同名,车同轨,此至正也……先王之所以一民心也。"《礼记·中庸》记载:"(子曰)今天下车同轨,书同文,行同伦。"《管子》、《礼记》记述的"书同文",是一种理想还是确有其事,可能还难以下一个定论。不过,西周中晚期到春秋之际,汉字形体规整划一的程度确实是非常高的,这似乎透露出当时文字规范的一些信息。文献记载的由周宣王太史籀编纂的第一部字书《史籀篇》,很可能就是当时文字整理规范留下的成果。

　　《史籀篇》,又简称《史篇》。《汉书·艺文志》载:"《史籀》十五篇。"自注:"周宣王太史作大篆十五篇,建武时(25—56)

亡六篇矣。"又说:"《史籀篇》者,周时史官教学童书也,与孔氏壁中古文异体。"《史籀篇》亡佚已久,今天无法知其梗概。据班固所说,此书为"史官教学童书",属于识字课本一类。又说李斯等作《仓颉篇》等书,"文字多取《史籀篇》,而篆体复颇异",其编写方式、体例,自然也有所法取。由《仓颉篇》可以推测,《史籀篇》大概是按意义间的关系编排而成,四字为句,二句为韵,以便学童习诵。王国维认为,《史籀篇》盖取名于字书首句"太史籀书","籀"是"读"的意思,并无史籀其人,其文字为"秦之文字,即周秦间西土文字","《史籀》一书,殆出宗周文胜之后,春秋战国之间,秦人作之以教学童"。① 王氏否定有太史籀其人,进而否定其书作于周宣王时期,而主张出自春秋战国间秦人之手,此说颇为学术界推重。李学勤根据考古资料,认为:"太史籀实有其人,上海博物馆所藏的一件鼎,铭文有'史留',当即史籀。东周的秦文字可溯源到宣王时青铜器《虢季子白盘》,恐非偶然,恐怕盘铭就是史籀倡行的字体吧?"②尽管我们还不能绝对肯定《史籀篇》出于周宣王之时,但就《说文解字》所存 220 余个籀文来看,《史籀篇》的字体结构与西周中晚期的金文和秦系文字大体相合,这表明《史籀篇》不可能迟于春秋。秦兴于西周故地,更多地继承了西周文字的风格特色,这就是籀文与秦系文字颇多一致的原因所在。《史籀篇》的成书,我们以为当与《礼记》《管子》所记"书同文(名)"的时代相近,《史籀篇》不仅是教学童的课本,也是先秦"书同文字"的范本。

春秋战国时代,诸侯为政,不统于王。战国百家争鸣,语言文字也得到高度发展;六国地域分歧,同时导致了语言文

---

① 王国维:《史籀篇疏证·序》,《观堂集林》卷五,中华书局,1959 年,第 251—257 页。

② 李学勤:《东周与秦代文明》,文物出版社,1984 年,第 365 页。

字的地域性变异,出现了"言语异声,文字异形"的局面。秦始皇统一六国后,在统一度量衡的同时,实行"书同文字"的政策。秦代的"书同文字"是历史上有明文记载的一次文字整理规范活动。《史记·秦始皇本纪》记载:始皇二十六年(公元前 221)初并天下,"一法度衡石丈尺,车同轨,书同文字"。秦统一后施行"书同文字",是治理天下,维护统一的一项重要措施。许慎《说文解字·序》对此也有记述:春秋以后,"诸侯为政,不统于王,恶礼乐之害己,而皆去其典籍,分为七国,田畴异亩,车涂异轨,律令异法,衣冠异制,言语异声,文字异形。秦始皇帝初兼天下,丞相李斯乃奏同之,罢其不与秦文合者,斯作《仓颉篇》,中车府令赵高作《爰历篇》,太史令胡毋敬作《博学篇》,皆取《史籀》大篆,或颇省改,所谓小篆者也"。为配合"书同文字"工作,《仓颉篇》、《爰历篇》、《博学篇》这些字书为"书同文字"提供了范本,同时作为识字课本也有利于规范的推行。

秦始皇推行"书同文字",是以秦小篆作为正体来规范六国异文的。《汉书·艺文志》和《说文解字·序》都明确指出:《仓颉篇》《爰历篇》《博学篇》"文字多取《史籀篇》",形体"或颇省改",这就是当时的秦篆(小篆)。经过"书同文字"之后,六国文字异形的历史基本宣告结束,小篆成为汉字定型的系统。

到了汉代,乡里书师将《仓颉篇》《爰历篇》《博学篇》三篇字书合并,分为 60 字一章,共有 55 章,依然叫《仓颉篇》。秦汉时期,《仓颉篇》曾广为流行,汉代扬雄、杜林分别为该书作过注释。到宋代《仓颉篇》大概就亡佚了,后人已经无法知晓其面目。20 世纪,西部地区和阜阳汉简《仓颉篇》残简的发现,人们对这部亡佚千余年的字书才有了具体的了解。

1930 年发现的居延汉简《仓颉篇》,首章作"仓颉作书,以教后嗣，幼子承诏，谨慎敬戒"，说明《仓颉篇》的书名就是选取首章前两个字。20 世纪 80 年代公布的阜阳汉简《仓颉篇》，应该是汉代《仓颉》《爰历》《博学》的合编本。从阜阳汉简《仓颉篇》可以进一步知道，《仓颉篇》以四字为句，每句的组成，主要是相关字词的罗列，字词之间、上下句之间意义并不追求关联性，同句与各句之间表达完整语义的很少见；一般是隔句押韵，每章一韵到底。《仓颉篇》的编排采用通行的四言韵文，为了便于记诵，尽量将意义相同、相近、相关、相类的字编到一起。

作为文字书的雏形，《仓颉篇》不仅对"书同文字"发挥了范本作用，而且也为后来字书的编纂树立了样板。

汉代"小学"的兴盛与《说文解字》

　　秦始皇推行"书同文字"对中国文化的发展是一大贡献，但为了统治的需要，秦始皇于三十四年（公元前213）采纳李斯建议焚禁古书，次年又发生坑埋儒生460余人的暴行。"焚书坑儒"是对我国古代文化的一次巨大摧残。

　　汉朝之初，养民生息，建立制度。汉惠帝四年（公元前191）废除秦挟书之律，文景之世渐开献书之路。汉武帝兴太学，"罢黜黄老、刑名、百家之言"，"立五经博士，开弟子员，设科射策，劝以官禄，讫于元始（1—5），百有余年，传业者浸盛，支叶蕃滋，一经说至百余万言，大师众至千余人"。[①] 汉武帝之后儒学遂盛极一时，读经之士遍及朝野，推动了汉代文化的复兴。西汉后期的成哀之世，求天下遗书，分人领校，开展了一次大规模的文化典籍整理总结工作。《汉书·艺文志》反映了这次整理的规模和所取得的成果，当时整理的前人和时人著作，"大凡书，六略三十八种，五百九十六家，一万三千二百六十九卷。"[②]

　　从汉武帝立五经博士，到宣帝、元帝之时，经学博士已经增至14家。博士所传的经书，都是用当时通行的隶书抄录的，称"今文"经。汉成帝河平三年（公元前26年），刘歆受诏与父刘向领校秘书，看到了不同于"今文"经书的"古文经"。所谓"古文经"，是以先秦古文字抄写的经书。根据《汉书·

----

① 见《汉书·儒林传》，中华书局，1962年。
② 同上。

刘歆传》的记载：刘歆领校秘书，见到古文《春秋左氏传》，他引用传文来解经，转相发明，使《左传》"章句义理备焉"。后来刘歆又推动将古文《左氏春秋》《毛诗》《逸礼》《古文尚书》等列于学官，于是引发了学术史上持续近两千年的经学今古文之争。

两汉今、古文经学的争论，主要是由经书传本的不同而引起的，而文字体制的不同则是形成两派论争的根本原因。今文经学者，大多不知道古文字的面貌，认为隶书就是仓颉时所造的书体，代代相传，不得改易，古文经是"向壁虚造不可知之书"，攻击古文经是伪造的东西。古文经学要确立自己的地位，就要证明古文经所用文字早于隶书，这就要揭示汉字发展的源流和构造的规律，因此，经学今古文之争客观上促进了"小学"的发展。

两汉以《仓颉篇》为原型，又编辑了一批新的字书，如：武帝时司马相如作《凡将篇》，元帝时黄门令史游作《急就篇》，成帝时将作大匠李长作《元尚篇》。汉平帝元始年间，"征天下通小学者以百数，各令记字于庭中。扬雄取其有用者以作《训纂篇》，顺续《仓颉》，又易《仓颉》中重复之字，凡八十九章。臣（班固）复续扬雄作十三章，凡一百二章，无复字，'六艺'群书所载略备矣。"[1]据班固所载，以上诸书的编纂都受到《仓颉篇》的影响，或取《仓颉》正字，或"顺续《仓颉》"。同时，这批字书又突破了童蒙识字书的界限，扬雄作《训纂》取材"天下通小学者"所记之字，实际上是一次全国性文字整理的成果。根据《隋书·经籍志》记载，班固还编有《太甲篇》《在昔篇》，东汉贾鲂作《滂熹篇》，崔瑗作《飞龙篇》也属同类字书。两汉文字书大都亡佚，只有《急就篇》流传下来了。

---

[1]　见《汉书·艺文志》，中华书局，1962年。

　　《急就篇》以七言韵文为主,杂以三言、四言,罗列二千余字,分类部居。开篇说:"急就奇觚与众异,罗列诸物名姓字,分别部居不杂厕,用日约少诚快意。"篇首之后,以"请道其章"引出正文,先列姓氏,集成三言韵文,再依次罗列锦绣、饮食、衣物、臣民、器具、虫鱼、饰物、歌乐、躯体、兵器、车马、宫室、田亩种植、飞禽走兽、疾病医药、丧葬祭祀之类,其后是"官制狱吏"等方面的内容。与《仓颉篇》相比,《急就篇》以七言为主,杂以三言、四言,除了语言上突破四言的格局,分类也更为严谨有序,尤其是"分别部居"的编排方式,是字书编纂的一大进步。

　　汉代的文化复兴、经学的发展和汉字制度本身的变革,促进了"小学"发展和字书的编纂,正是在这样的背景下出现了文字学史上划时代的著作——《说文解字》。

　　《说文解字》由东汉许慎所编撰。许慎,字叔重,汝南召陵(今河南漯河)人,生卒年月不详。许慎担任过太尉南阁祭酒,师从著名古文学家贾逵,时称"博学经籍","五经无双",他还撰著有《五经异义》《孝经古文说》《淮南子注》等。这些书都已亡佚,只有《说文解字》一书传世。

　　《说文解字》初稿写成于东汉和帝永元十二年(100),到安帝建光元年(121)才由其子许冲上表将定稿奉献皇上。许慎所处的时代,正是古文经学兴盛,"小学"快速发展,鸿儒通人辈出的时代。许慎撰著《说文解字》的目的是:"将以理群类,解谬误,晓学者,达神恉。"[①]通过"说文解字",进而释疑解惑、规范文字是许慎要实现的明确目标。作为一名古文经学家,许慎兼收并蓄,博采通人,在吸收刘歆至贾逵以来经学家研究成果的基础上,创造性地编纂出《说文解字》这部集大成

---

　　①　许慎:《说文解字·序》,中华书局,1963 年。

的著作。《说文解字》博大精深,体例严谨,不仅是两汉文字学创立的里程碑,也是汉语文字学史上影响最深远的经典著作。

《说文解字》开创了历代字书编纂的基本方法。作为一部实用性字书,《说文解字》在编纂上的一个重大突破就是建立了部首编排法。全书共收字头9353个,重文1163个,全书以"一"为开端,而以"亥"为终结。"始一终亥"的编排,受到当时流行的阴阳五行学说的影响。许慎在"一"下说:"惟初太始,道立于一,造分天地,化成万物。"这种解释源于《老子》"道生一,一生二,二生三,三生万物"的思想。"一"可以"化成万物",自然万物的符号——文字,也应始于"一"。在最后一个字"亥"下,许慎说:"荄也,十月微阳起,接盛阴……亥生子,复从一起。""亥"为十二支之一,古人以十二支与十二月相配。夏历以十一月配子,为建子之月,十二月配丑,为建丑之月,依次类推,至十月,则与"亥"相配,为建亥之月,至此周而复始,所以"亥而生子,复从一起",与"始一"相呼应。许慎发凡起例,将汉字归纳为540部,每部各建一首,统摄同部各字,这是对《仓颉篇》《急就篇》以来已具萌芽的"分别部居"编排方式的重大发展。《说文解字》部首与部首之间、字与字之间的排列,则采取"据形系联""共理相贯"的办法。这种编排方法,利于检索,体现了汉字系统形、音、义的内部规律和相互联系性。

《说文解字》对当时所见各类汉字进行了一次全面的收集和整理。全书所收字体,一般以"小篆"为正体,兼收"古文""籀文""奇字""或体""俗体"等。"小篆"是经秦始皇时代整理的标准字体,作为字头;"籀文"是小篆的前身,也就是当时还部分保存的"史籀大篆",为"周宣王太史籀著大篆十五篇"中的文字;"古文"有两层意思,一是专指孔子壁中书所用的字体,一是泛指先秦文字;"奇字",是王莽时"六书"之一,指"古文而异者",为"古文"的特异写法;"或体"指当时所见篆文的异形异构;"俗体"是时俗所用之字,也就是汉代流行的、不合于正篆的异体。

《说文解字》首次对全部汉字进行了结构分析,揭示了汉字形、音、义内在关系和文字构造条例。段玉裁说:"《说文》,形书也。凡篆一字,先训其义,若'始也'、'颠也'是;次释其形,若'从某某声'是;次释其音,若'某声'及'读若某'是。合三者以完一篆,故曰形书也。"①"形书"概括了《说文解字》析形释义的特点,许慎不仅将师承的"六书"理论,贯穿于"说文解字"的整个过程中,而且还在《说文解字·序》中对指事、象形、形声、会意、转注、假借等"六书"举例予以界定。② 许慎以"六书"理论指导了字形分析,《说文解字》的字形分析又为"六书"理论提供了全面系统的实证,因此,"六书"是了解《说文解字》一书字形分析的一把钥匙。 自从《说文解字》问世以后,许慎对"六书"的定义和运用,一直是汉字结构分析的基本理论和典范,为历代文字学者所继承和发扬。

《说文解字》对汉字音义的标注和训释,为汉字的教学、使用提供了依据。《说文解字》训释字义偏重于揭示构字本义,使释义与分析字形相得益彰,同时,在释义和标音体例和方法上也集中反映了两汉词义训释的成果。《说文解字》释义的方法主要有:(1)同义为训,如"祥,福也","祯,祥也";(2)同音为训,也就是所谓"声训",如"天,颠也","旁,溥也";(3)推本求源,在释义时揭示字义来源,兼明构字之理,如"神,天神引出万物者也","祇,地祇,提出万物者也";

---

① 见段玉裁《说文解字注》"一"部"元"字下、"一"字下,上海古籍出版社,1988年。

② 见《说文解字·序》,上文介绍汉字构造与"六书"时已引述。

（4）标定义界，解释字义所表示的对象的特性，如"吏，治人者也"，"熏，火烟上出也"。许慎采用的标音方法，一是分析形声字，指明声符为"某声"，有标示读音的作用。二是采用"读若"注音，对不是形声字而无法分析"声符"或形声字读音与声符不一致的那些字以及疑难稀见字等需要标注读音的，皆注明"读若某"。如"珣"，"读若宣"；"扶"，"读若伴侣之伴"。

以上简略介绍表明，《说文解字》既是一部实用性字书，也是一部汉字构形分析的专门著述。这种双重特点，使得《说文解字》不仅成为历代字书编纂的法典和训诂学的宝藏，而且也奠定了传统文字学的基本格局，在文字学史上产生了深远的影响。《说文解字》的价值和影响，主要有以下几个方面：

一是广泛收集和保存的古文、籀文、篆文、或体，成为后代研究古文字的资料宝库。全书收录九千多个小篆，五百多古文，二百多籀文，对古文字进行了一次系统全面整理，较好地处理了古、籀、篆文的关系，保存了大量有参照意义的古文字形体和篆文重文，成为历代学者考辨文字源流演变的主要依据，许慎分析文字的理论和方法也为历代学者所遵从。近代甲骨文发现以后，古文字研究成为一门热门学科，更显示出《说文》保存的古文字资料的重大价值，古文字学家研究甲骨、金文的秘诀就是"由许书以溯金文，由金文以窥书契（甲骨文）"，《说文》被誉为是通往神秘的古文字殿堂的津梁。

二是较为系统地阐发了文字构成和发展的基本规律，奠定了汉语文字学的理论基础。许慎对文字学理论的阐发主要集中在《叙》文，并贯穿于全书"说文解字"的过程中。《说文》涉及到文字学许多重要问题，例如：关于文字起源传说的阐述，关于文字记录语言、传递人类文明的根本性质和社会功用的论述,关于"六书"的界定和汉字构形、运用规律的分析,关于汉字形体由古文、大篆、小篆到隶书发展演变的梳理等,这些问题都是传统文字学乃至现代文字学的核心问题。许慎开创的以字形分析为主,依据字形进而分析音义,三者互求,转相发明的方法,适应了汉字构造的基本特点,成为汉字研究者长期遵循的基本研究方法。《说文》的文字学理论贡献,使它历来被奉为文字学研究的经典。

三是《说文》的编纂方法成为历代字书编纂的楷模。《说文》创立部首编排法,"分别部居",以 540 个部首统率各部之字,体现了汉字形体内部的系统性。这种编排方法为历代字书编纂所沿用,虽有调整,但总体上都是以《说文》分部为范本的。《说文》在每个字之下,先解释字义,再分析字形构造,以揭示字形与字义的关系,必要时再标注读音,这种兼顾汉字形、音、义三个方面的说解体例,将汉字形、音、义的内在联系性充分揭示出来,使《说文》具有双重属性:就其功用而言它是一部实用性"字书",就其内涵而言它则是一部研究性文字学著作。《说文》的这种特点,影响了其后近两千年的文字学研究和字书编纂。

四是《说文》对字形结构的深入分析和汉字音、义的精到解释,成为规范文字应用的标准和范本,进一步发扬和凸显了字书统一规范文字的传统和功能。许慎对文字系统所做的全面整理和深入分析,使《说文》一经问世就成为文字学的权威著作,对文字的规范和统一产生了积极的作用和影响。秦王朝虽然以小篆作为统一文字的范本,但是实际上由于隶书的广泛运用,"书同文字"的任务完成得并不彻底,社会用字异形分歧仍很严重。到了汉代,一方面俗儒鄙夫随心所欲地说解文字,如"马头人为长,人持十为斗"之类;另一方面文字书写讹误和不规范也较突出,如"一县长吏,印文不同",

"城皋令印，'皋'字为'白'下'羊'；丞印'四'下'羊'；尉印'白'下'人'，'人'下'羊'"。① 从同县令吏官印用字的异形分歧，可以看出当时文字使用的实际情形。《说文》创作的目的，就是要澄清文字运用中"人用己私，是非无正"的混乱。《说文》问世后，在规范统一文字方面确实也发挥了显著的作用。《说文》确定正篆，区别异俗，阐释形、音、义相因之理，使"巧说邪辞"不攻自破；《说文》整理的正篆对确立隶书正体乃至楷书形体都是重要的参考依据。此后历代字书的编纂都以《说文》作为楷模，将文字的定形正音作为基本任务，发挥了字书统一规范文字应用的功用，《说文》也被视为统一规范文字的典要之作。

今天看来，《说文》也有明显的时代局限性，如：许慎以篆文为依据分析字形结构，不可避免地会带来一些错误；对一些字义阐释受到当时学说的影响，有不少牵强附会之辞；标音方法和"声训"的运用也不太科学，等等。《说文》的缺点和不足主要是由于时代局限和学术发展阶段所决定的。作为文字学的奠基性著作，经历了两千年的历史检验，《说文解字》越发显示出无与伦比的历史贡献和巨大价值！

---

① 《后汉书·马援传》注引《东观记》，中华书局，1965 年。

历代字书的编纂与文字规范

继许慎《说文解字》问世之后,历代沿袭《说文》而编纂的各类字书,既体现了不同时代文字学的发展,更在辨正俗讹、规范文字方面发挥了典范作用。

一、魏晋南北朝时期的字书

魏晋南北朝时期,汉字形体经历了由隶书到楷书的转变。由于社会生活的变迁,新词新字的出现,加上当时战乱频仍,南北分裂,社会动荡,文字的使用也异常混乱。北齐颜之推对此曾有记载:"(梁)大同(535—546)之末,讹替滋生。萧子云改易字体,邵陵王颇行伪字;朝野翕然,以为楷式,画虎不成,多所伤败。至为一字,唯见数点,或妄斟酌,逐便转移。尔后坟籍,略不可看。北朝丧乱之余,书迹鄙陋,加以专辄造字,猥拙甚于江南。乃以百念为'忧',言反为'变',不用为'罢',追来为'归',更生为'苏',先人为'老',如此非一,遍满经传。"①魏晋南北朝时期出现的字书,主要有《古今字诂》《字林》《字统》《古今文字》《玉篇》等,这些字书对规范当时文字使用的混乱都有重要作用。

魏晋南北朝时期的字书,除《玉篇》以外都已亡佚。②其中《古今字诂》三卷,是魏初张揖编撰的,《旧唐书·经籍志》载《古今字诂》二卷,《唐书·艺文志》已不载。唐人尚引用其

---

① 颜之推:《颜氏家训集解》,上海古籍出版社,1980年,第514页。
② 清人任大椿《小学钩沉》、马国翰《玉函山房辑佚书》等对这些字书进行了辑佚,可见其编纂大概。

书,简称为《字诂》,其书当在唐以后亡佚。《字林》七卷,西晋吕忱撰,北齐颜之推把《说文》《字林》放在同等重要的地位,唐代科举取士,"明书"科须考《说文》《字林》,可见唐代《字林》的地位甚高。唐宋时所编的字书、类书还常有征引,《字林》大约亡佚于宋元之际。《字统》二十卷,北魏阳承庆撰,唐代封演《封氏闻见记·文字》说"后魏阳承庆者,复撰《字统》二十卷,凡 13734 字",已佚。《古今文字》四十卷,北魏江式撰,未成书而散佚。

《玉篇》三十卷,梁顾野王撰。顾野王(519—581),字希冯,吴郡(今江苏苏州市)人。《玉篇》撰成于梁大同九年(543),是《说文》之后保存下来的最古老的字书,也是第一部以楷书为正体的字书。顾野王在《玉篇·序》中写道:"五典三坟,竞开异义,六书八体,今古殊形,或字各而训同,或文均而释异,百家所谈,差互不少,字书卷轴,舛错尤多,难用寻求,易生疑惑。"这部字书是奉命编纂的,其目的是规范南朝语言文字的歧异讹错现象。现在流行的《大广益会玉篇》,是经过唐宋人增字重修的本子。清末黎庶昌、罗振玉先后在日本发现残卷《玉篇》,是未经增益重修的唐抄原本。据封演《封氏闻见记·文字》所记,原本《玉篇》16917 字,唐残卷保存了 2100 余字。

《玉篇》依照《说文》体例,分 542 部编排,对《说文》部首、次序进行了重新调整,与《说文》部首"据形系联"的排列次序有所不同,目的似乎是将意义相类的部首编列一起,但这一点并未贯穿始终。按照收字的实际,《玉篇》还对《说文》部首做了归并调整,删去 11 部,增设 13 部,所以多出《说文》两部。部首的增删大体是合理的,如因"爹、爸、爷"等新产生的字,而增设了"父"部。增益本《玉篇》收字为 22561 字,较原本多出 5644 字,原本较《说文》多出 7564 字。《玉篇》多收字大都为魏晋南北朝以来新产生的字,这反映出《玉篇》的收字能注重汉字运用与发展的实际。如"食"部《说文》收62字,而原本《玉篇》收字达144个,"大广益会"本增至220字,其中"饵、馄、饨、养、饮"等新增字,至今仍为常用字。《玉篇》新增字中有些偏僻字很少使用,或者已成为"死"字而退出了使用领域。《玉篇》的字头和注释都用楷书,每字之下先注明反切,再解释字义,不再仿照《说文》分析每个字的结构。原本《玉篇》释义部分征引书证十分详赡,以实现作者"总会众篇,校雠群籍","成一家之制,备文字之训"的宗旨。唐宋增益本对书证材料进行了大量的删减,使原书更便使用,但面貌也大为改变。

二、唐宋辽时期的字书

南北朝时期文字使用混乱严重,即使是儒家经典也在所难免。唐陆德明在《经典释文·序》中说:"五经字体,乖替者多。"唐王朝建立以后,为纠正文字使用的混乱采取了相应的语文政策。唐太宗命孔颖达撰《五经正义》统一经典释义,颜师古撰《五经定本》统一经典字形,同时相继产生了一批辨析异俗、匡正讹误、统一字形的"字样"之书。

辨正文字的"字样"之书,最早的当为颜师古(571—645)的《字样》。据《旧唐书·颜师古传》载,颜氏贞观七年(633)"拜秘书少监,专典刊正所有奇书难字。众所共惑者,随宜剖析,曲尽其源"。颜元孙《干禄字书·序》也说:颜师古"贞观中刊正经籍,因录字体数纸,以示雠校楷书,当代共传,号为'颜氏字样'"。颜师古校正五经文字,为时人推重,他所录字体数纸作为校正文字的楷模,故被称作《字样》。其后杜延业的《群书新定字样》、颜元孙的《干禄字书》、欧阳融的《经典分毫正字》、唐玄宗的《开元文字音义》、张参的《五经文字》、唐玄度的《新加九经字样》相继问世。到了宋代,有郭忠恕的《佩觿》、张有的《复古编》、娄机的《广干禄字书》、李从周的《字通》,辽代有释行均的《龙龛手镜》,这些都是辨正文字类字书的延续。这类字书中代表性的有下面几种:

《干禄字书》一卷,唐代颜元孙撰。颜元孙(? —714),字聿修,唐京兆万年(今西安市)人。他学有渊源,以颜师古《字样》为本,"参校是非,较量同异",增补为《干禄字书》一卷。大历九年(774),其侄颜真卿在湖州任所将此书刊刻于石。《干禄字书·序》说:"进士考试,理宜必遵正体,明经对策,贵合经注本文……既考文辞,兼详翰墨,升沉是系,安可忽诸?用舍之间,尤须折衷。"这部字书不仅为辨正文字而作,亦为科举考试、谋求禄位功名所用,所以书名用"干禄"二字。《干禄字书》以平、上、去、入四声为纲,按 206 韵为次编列单字,每字之下所列异体,分别用"俗、通、正"标明。该书所说的"俗、通、正",指的就是俗体字、通用字和正体字。对不同字体的使用和规范,该书《序》说:书写籍账、文案、券契、药方时,使用俗体字也无妨,不用则更好;通用字都是相承久远的字,在书写表奏、笺启、尺牍、判状时可以使用;正体字每个字都有凭据,用于著述、文章、对策、碑碣之中则更为允当。颜氏对"俗、通、正"三体的分别,是根据当时汉字运用实际情况进行分类处理的结果。"俗字"浅近,流行民间,切于日常要用;"通用字"承袭已久,通行于世,可以用于写作公文;而"正字"则是字有凭据,适用于严肃、庄重的著述文章和碑刻。在《说文》《字林》之外,《干禄字书》对"俗、通、正"三体的分别,体现了按照使用领域分类规范汉字的思想。该书的问世对澄清当时文字使用的混乱状况起到了积极的作用。

《五经文字》三卷,唐代张参撰,其书编成于唐大历十一年(776)。张参为当时名儒,精通文字、训诂、音韵之学。大历十年(775)张参受诏参与"勘校经本",集录经书疑文互体,按照 160 部编次,分为三卷,收字共 3235 字。这部书的编写主要是应读经之需和科举之用,书中所收"疑文互体",凡有疑误者,正形、辨音、别义、明用,都依据《说文》《字林》和《石经》,对文字点画之微,音义之末,都明析细察,悉心辨正,使"慕古之士,且知所归"。因此,此书在收字范围上虽不及《干禄字书》广,而内容却比颜氏之书更加丰富。在编排体例上,《五经文字》采用分别部居的传统方法,根据实际需要将《说文》《字林》部首调整为 160 部,这些调整,不仅切于实用,也尊重了楷书的形体结构,更便于检索。大和七年(833)唐玄度奉敕覆定九经字体,又以张参《五经文字》为准,对传写乖误者,依字书参详改正,编纂《新加九经字样》一卷,以补《五经文字》的不足。《新加九经字样》往往以《说文》篆体隶古定与通行字体相比,指明上一字出处,并在下一字注明"隶变"或"隶省",详细分析讹变过程,对了解文字形体的演变不无裨益。《新加九经字样》问世后,即请附于《五经文字》之末,二书相辅而行,在辨正讹俗、规范用字方面与《五经文字》起到同样的作用。

　　《类篇》是宋代的一部重要的字书。《类篇》十五卷,宋王洙等撰。这部字书实际上出自众人之手,先后花了 27 年才编纂成书。据书后跋语所记,宋仁宗宝元二年(1039)翰林学士丁度等人奏请修纂该书,原因是编修《集韵》,添字既多,与顾野王《玉篇》不相参协,因此奏请别修《类篇》,以便与《集韵》相副施行,以补《玉篇》的不足。《类篇》共分十五卷,末一卷为目录,每卷又分上、中、下三卷,故又称四十五卷。仿照《说文》体例,全书分为 540 部,各部顺序均同《说文》,收字形 31319 个,重音 21846 个。《类篇》收字不仅沿袭《说文》,而且广收古文奇字,每字列古、籀、篆、隶各种异体,注释部分则仿《玉篇》,先出反切,次出释义,有重音者,再出反切释义,接着指明各种异体属古、籀、篆哪一类,最后注明该字重文、重音之数。部中诸字以平、上、去、入四声按《集韵》韵部次序排列,反映了韵书对字书编纂的影响。《类篇》编写的特点:一是注重形义,以字形为纲,以字义为重;二是推崇故旧,全书多收古籀异体。该书分部释义依从《说文》《玉篇》,因此变通不够,对隶变楷化后的字形按照其篆体分部,不便检索。

宋代辨正文字的字书,代表性的有《佩觿》和《复古编》。《佩觿》三卷,宋郭忠恕撰。郭忠恕(？—977),字恕先,工篆籀,又善史书。宋太宗初即位(976),令刊定历代字书。郭氏所著还有古文字书《汗简》三卷。《佩觿》一书专为辨正文字而编纂。书名取于《诗经·卫风·兰》"童子佩觿"一语,说明此书的编纂是为学童学习所用。全书的内容分为"三段十科"。上卷内容为"三段",即"造字之旨""四声之作"和"传写之差"。"造字之旨"列举文字分析、运用、沿袭的各种毛病近二十种,主要是汉字形体结构方面的问题;"四声之作"主要列举"音讹字替"的各种现象,包罗各种读音讹误歧异的情况;"传写之差"专列各种因形近而传写互讹的例子。中、下两卷为该书的主要内容,对一些易误易混的字辨正分毫,以防止书写和运用的讹误。这部书不仅有助于学童识字和用字规范,对文字演变和汉字结构的研究也有参考价值。

《复古编》二卷,宋张有撰。张有,字谦中,精通篆书和古文奇字,用功数十年在大观(1107—1110)、政和(1111—1118)年间编成《复古编》。张氏取书名为"复古",意欲匡正俗讹,以复《说文》之古。全书以小篆为正字,按平(分上、下)、上、去、入四声排列,每字之下附列别体俗体,并逐一辨正讹误。附录列"联绵字""形声相类""形相类""声相类""笔迹小异""上正下讹"等六类,辨别异形、俗体、讹体,求其异同,论其是非。《复古编》正文与附录,都充分体现了复《说文》之古的编写动机。在宋代新说歧出、不守古法的风气中,张氏独以《说文》为准绳,校正俗讹,弘扬了《说文》统一规范文字的精神,这一点值得赞许。然而,张氏笃信《说文》,往往据篆体的隶定字形排抵通行写法,拘泥不变,以致于偏执,甚至说"《说文》所无,手可断,字不可易也!"①张氏对文字的发展演变一概持否定态度是不足法取的。《复古编》在当时影响较大,出现了一些续编之作,如曹本《续复古编》、吴均《增修复古编》、戚崇僧《后复古编》、陈恕可《复古编篆韵》、泰石华《重类复古编》、刘致《复古纠缪编》,等等。

　　《龙龛手镜》是辽代出现的一部很有特点的字书。《龙龛手镜》四卷,释行均撰。行均,俗姓于,字广济。《龙龛手镜》成书大概在辽统和十五年(997)前后,全书收字 26430 余字。该书主要是针对佛经文字"流传岁久,抄写时讹",以致是非莫辨而编纂的,其目的即为了是正名言,以通悟佛典。该书将《说文》部首归并为 242 部,又按平、上、去、入四声,分为四卷。第一卷平声 97 部,第二卷上声 60 部,第三卷去声 26 部,第四卷入声 59 部。每部字也按平、上、去、入的顺序排列。这种编排,一方面继承了传统的部首编排法,以部统字,同时化繁为简,归并和取消了一些不适用的部首,对传统的分部做了革新;另一方面又吸收了韵书编纂的特点和长处,以四声统部首,部首中又以四声顺序统单字,可谓开音序检字法先河,使检索部首与单字更为便利,这是字书编纂的进步。该书仿唐代颜元孙《干禄字书》体例,每字下必详列"正""俗""今""古"及"或作"诸体,一一注明。对每字的音义作简明注

---

　　① 见陈振孙:《直斋书录解题》。

释,字有又音的则列出不同反切。所收各种异形,有相当部分出自佛教经典。《龙龛手镜》收集的大量俗体、异体,反映了汉字运用的实际情况,在用字混乱的当时,是一部很有用的工具书。它保存的各种字形,对今天研究中古汉字的流变也是很有价值的资料。

三、元明清时期的字书

《字鉴》《字汇》《正字通》和《康熙字典》是元明清时期出现的几部影响颇大的字书,这些字书既延续了《说文》以来字书编纂的优良传统,在规范文字方面发挥了重要作用;又根据汉字发展和运用的实际,在字书编纂体例上有所创新。

元代李文仲撰《字鉴》五卷。文仲,自署吴郡学生,其事迹无考。文仲因伯父李世英编《类韵》,于文字点画尚有未及校正者,于是编成此书,"辨正点画,刊除俗谬"。全书按平、上、去、入 206 部编列诸字,平声 57 部分为上、下两卷,上、去、入各一卷,共五卷。每字先出反切注音,再引《说文》分析文字构造,指明俗讹形体。在辨正俗讹时,《字鉴》"递互研考",辨别一字,则辗转涉及到一系列相关的字,举一而反三。《字鉴》对《说文》以外的诸家字书,不仅能择善征引,还能纠正其偏失。《四库全书总目》评价该书"深得变通之宜,亦非泥古骇俗者所可比也"①。《字鉴》辨正文字重本源,分析形体能兼及流变,是一部有着较高文字学水平和实用价值的字书。

明万历四十三年(1615)梅膺祚编纂完成《字汇》十四卷。梅膺祚,字诞生,宣城人。《字汇》体例缜密,编纂精善,改进部首,创造了笔画检字法,对字书的编辑和汉字的规范作出了重要的贡献,是明清时期一部影响很大的字书。

---

① 见《四库全书总目》卷四十一,中华书局,1965 年。

　　《字汇》依据楷书字形结构的特点，将沿袭已久的《说文》540 部做了删除、归并和调整，设立 214 部以统率所收之字，改革后的分部更加符合楷书实际。《说文》系统字书一般都遵循"分别部居，据形系联"的原则编排所收各字。韵书产生后，出现了依据四声和韵次编排的字书。《字汇》在继承"分别部居"编纂传统的同时，摒弃了"据形系联"的编排方法，创造了按照笔画编排和检字的方法。从一画至十七画，按照楷书笔画多少排列 214 部，再按子、丑、寅、卯等十二支分为十二集，统属全书所收 33179 字。每卷前列有图表，标明某画之字在某篇，查检起来，如按图索骥，异常方便。梅氏创造的以笔画为核心的编排和索检方法，详密周到，简便易学好用，是字书编纂的一大创造发明，至今仍为字书编排和检字的最基本方法。

　　《字汇》收字的原则是"通俗用"。《凡例》说："字宗《正韵》，已得其概，而增以《说文》，参以《韵会》，皆本经史通俗用者，若《篇海》所辑怪僻之字，悉芟不录。"这体现了作者对常用汉字的正确看法。卷首所列"从古""遵时""古今通用"三项，可以说是为"通俗用"的收字原则作具体的阐释。所谓"从古"，指俗字不合"六书"之理的，应从古而不应从俗，共列出 164 组字；所谓"遵时"，就是为求便用，遵循通行字而不必拘泥其古体，共列出 113 字；所谓"古今通用"，指这些古今通用的字，使用者好古趋时，可以各随其便，共列出 135 对。作者所立"从古""遵时""古今通用"的原则，为社会用字确定了规范，对正俗匡谬起到了积极的作用，同时也反映出作者对社会用字有着辩证的认识，不泥于古，也不流于俗，"从古"以求其真，"遵时"以趋便捷，"通用"之字各取所好。《字汇》的注释，先出反切注音，再进行释义，最后依据《说文》分析构形之旨。《字汇》注音采用了反切、直音、四声互证、音近某等四种方式,较以前任何一部字书都更详明。《字汇》释义,分陈义项,举列书证,并引用《说文》《尔雅》等书的解释作为辅证,释义比较细密。《字汇》的附录也很有实用价值,如"运笔"论笔画顺序起止,"辨似"辨析形近易误字,"醒误"对坊间书本的俗误字予以辨正,这些附录材料有助于汉字的规范。

《字汇》在字书编纂史上具有重要地位,笔画检字的创立和对《说文》部首的改革,使传统字书的编纂更加符合汉字发展的实际,更加关注社会的用字和规范。因此,《字汇》问世后,"老师宿儒,蒙童小子,莫不群而习之","人人奉为拱璧"。① 当然,作为一部大型字书,《字汇》存在一些不足和缺点也在所难免,清代吴任巨著《字汇补》,对《字汇》的不足多有补正。

《正字通》十二卷,明张自烈编纂,或题清廖文英编纂。《正字通》以《字汇》为蓝本,该书的分部、笔画索检、编排次第,都与《字汇》相同。《正字通》甚至可以说是《字汇》的修订本。《正字通》对《字汇》的主要修订有:(1)《字汇》原将古、籀、篆、隶和讹俗异体分部分画编排;《正字通》则集中列于本部字之后,检索到本字,也就同时查到该字古今讹俗诸体。(2)《字汇》注引经史子集为书证,剪裁上下文,略去原注;《正字通》则根据本文,使引文首尾相续,更为完整,并随引文加注释,以便利学者。(3)《正字通》收字稍益出《字汇》,采辑了佛教诸经和医方杂技诸家用字,据每部所记附增字数,12 集增大字 357 个,注附增小字近 120 个。(4)调整注音。一是删除多余的反切;二是调整不合理的叶音。(5)修订讹误。《正字通》对《字汇》之误多有纠正,凡《字汇》误者,则注明旧本旧注误,凡是《字汇》沿袭各种字书韵书错讹的,则注明某

---

① 见年希尧:《五方元音·序》。

书某说误。《正字通》与《字汇》一样曾广为流行,是《康熙字典》的编纂蓝本,在规范文字和传播文字知识方面有一定贡献。

《康熙字典》又称《字典》,由张玉书、陈廷敬等 30 人奉敕撰修,是我国规模最大的由集体合作编纂而成的字书。《康熙字典》于康熙四十九年(1710)开修,到康熙五十五年(1716)编成。

《康熙字典》作为传统字书的集大成者,在体例上更加完善。全书分部次第,一仍《字汇》《正字通》体例,列 214 部,以十二支纪十二集,每集分三卷,统属 47035 字(不含古文 1995 字)。先出"总目""检字""辨似""等韵"各一卷,后附"补遗""备考"各一卷。部首按笔画多少先后排列,部中列字也按笔画多少为序。每字之下先列《唐韵》《广韵》《集韵》《韵会》《正韵》音切,再训释其义,然后列出别音别义和古音韵,引述书证旧典,详其始末,使语有凭据。凡是有所考辨的,则附于注末并加"按"字标明。如果字有古体,则列于本字之下,至于重文、别体、俗书、讹字则附出于注后,并从其字之偏旁部首,别出于诸部,注明互见。《康熙字典》以《字汇》《正字通》为蓝本,又兼采各类传统字书的优点。《四库全书总目》指出:《康熙字典》"每字必载古体,用《说文》例;改从隶书,用《集韵》例;兼载重文、别体、俗书、讹字,用《干禄字书》例;皆缀于注后,用《复古编》例;仍从其字之偏旁,别出于诸部,用《广韵》互见例;至于增入之字,各依字画多寡,列于其数之末,则《说文》之新附、《礼部韵略》之续降例也"。

《康熙字典》体例上取《字汇》《正字通》之长,内容方面又做了许多改进,该书《凡例》对改进之处做了如下说明:(1)字形方面,对偏旁点画缺略的予以厘正;(2)对注音不确当的予以更正;(3)对分部明显不合乎字形结构特点的进行适当调整；(4) 对繁冗重复的音训予以删减；(5) 对收字未尽的，从字书、韵书、经史子集中广泛搜集予以增补；(6) 对收字重出的进行考校归并；(7) 对援引诸书不载篇名且多讹舛的，注明援引某书某篇并纠正讹误；(8) 对援引篆籀繁琐不当的进行精简删除。《康熙字典》对《字汇》《正字通》的上述改进，是传统字书编纂水平的一次较大提升。

《康熙字典》御敕撰修，规模宏大，体例严谨，收字全面，繁简得当，权威实用，代表了传统字书编纂的最高水平，是传统字书名副其实的集大成者。《康熙字典》问世后不胫而走，获得了极高的赞誉。《四库全书总目》评价说"去取得中，权衡尽善"，"信乎，六书之渊海，七音之准绳也"。实际上任何一部字书都难以做到尽善尽美，《康熙字典》也同样存在不少不足。清人王引之奉旨校订《康熙字典》，校正引书名和篇名错误、引文脱讹错乱、删节失当、断句错误、字形讹错等方面的错误达 2588 条，纂成《康熙字典考证》一书。

传统字书的编纂，自许慎《说文解字》以来一直代表文字学历史发展的主流，不同时代产生的众多字书，不仅客观上保存和体现了不同时期文字学研究的成果和发展轨迹，而且适应了社会发展和语言文字实际使用的要求，为汉字的规范统一提供了遵循的典范。数千年来汉字得以持续稳定发展，在传承中华文化和民族团结统一方面发挥了独特的伟大作用，这其中历代字书功不可没！

近代以来，在艰苦卓绝的救亡图存的斗争中，中国社会和文化实现了历史转型。在这一波澜壮阔的历史进程中，古老的汉字也经受了历史的检验，跨入语文现代化的新时代。百年来，尤其是新中国成立以来，国家发布的关于语言文字的法规、政策和各种汉字规范，适应了语文现代化的时代要求，汉字规范化、信息化和标准化水平日益提高。与此同时，汉语字书的编纂也发扬传统,与时俱进,既编纂出《汉语大字典》这样收录古今文字的大型字书,也编纂出《新华字典》一类广泛流行的日用字典,各类字书在语言文字的教育和规范方面依然发挥着典范作用。